#17
FL
2⁰⁰

*Les*
*plus beaux contes*
*de la*
*littérature française*

# Les plus beaux contes de la littérature française

Préface, textes de présentation et choix
*de*
MICHELLE GAUTHEYROU

LE GRAND LIVRE DU MOIS

# PRÉSENTATION

*Il était une fois...*

*Depuis des siècles et des siècles, la formule magique a fait ses preuves. Sur-le-champ, l'attention de l'enfant se fait plus intense, son regard s'éclaire. Déjà, la porte du royaume des contes s'entr'ouvre pour lui... Il pénètre dans un monde singulier, peuplé de simples mortels mais aussi de créatures étranges, où fréquemment l'irrationnel règne en maître, où tout est permis et possible. Quelle bonne fortune pour un esprit neuf, explorateur avide de découvertes en tous genres, prêt à accueillir l'absurde comme un divertissement de choix ! Il va trouver ici et là, dans cet univers insolite, des points de repère qui le ramènent à lui-même et donnent une réponse, sous une forme plus séduisante et moins contraignante que celle proposée par son environnement quotidien, à certains de ses problèmes, à certaines de ses questions.*

*Mais qu'est au juste un conte ?*

*Le définir n'est pas aussi simple qu'il semble. Ses frontières apparaissent floues et incertaines. Le Grand Larousse le présente comme un récit court d'aventures imaginaires. On en fait souvent l'amalgame avec les genres proches de la légende, de la nouvelle, voire du roman.*

*Vieux comme l'humanité, il a évolué dans le temps, se pliant aux modes et aux mouvements de pensées, comme aussi dans l'espace, prenant une coloration particulière selon les pays où il naissait.*

*Progressant dans le royaume de l'imaginaire, l'enfant va de surprise en surprise, partagé entre l'émerveillement et un sentiment de confusion devant tant de richesses et de diversité : contes merveilleux, fantastiques, humoristiques, moralisateurs, cruels... Il y en a pour tous les goûts, tous les âges, toutes les dispositions d'esprit.*

*Même si l'on s'en tient au seul conte français – objet du présent ouvrage – le champ d'investigation est immense, forêt profonde aux mille sentiers, aux mille fourrés, aux mille clairières, dans laquelle on s'enfonce au hasard et qui demanderait de très longues années d'une minutieuse exploration avant de livrer tous ses secrets et tous ses trésors.*

*Parmi ces trésors, il a bien fallu faire des choix arbitraires pour composer ce livre, éliminer avec regret certains textes au profit d'autres d'égal intérêt, afin que chaque époque puisse se faire connaître, afin de varier les thèmes, de doser les difficultés d'écriture, de laisser une part importante à la valeur littéraire, et de tenter de satisfaire ainsi à la fois les très jeunes qui commencent à maîtriser la lecture et à lire seuls, et ceux, un peu plus âgés, qui manient déjà notre langue avec une relative facilité.*

*Dans ces pages, nous nous sommes fait une loi d'exclure tout texte revu et corrigé, ou adapté, pour la jeunesse, pâle reflet de la réalité, qui, toujours, trahit le véritable auteur. Tous les écrits reproduits le sont dans leur intégralité d'origine, pour en conserver l'authenticité, la saveur, et faire prendre progressivement conscience au jeune qui les parcourt de ce que sont le talent et le style (ou le manque de talent et de style...) propres à chaque créateur. Seuls les textes en vieux français, difficiles à déchiffrer dans leur rédaction première, sont proposés dans une transcription en français moderne.*

*Mais si le présent volume – avant tout conçu pour distraire la jeunesse, la faire rêver, et par là même développer son imagination – retrace dans ses grandes lignes l'histoire du conte français de ses origines à la fin du XIX$^e$ siècle, s'il permet de se faire une idée sur l'évolution de ce genre littéraire par rapport à l'histoire de notre pays, s'il permet de mieux connaître certains écrivains et de comparer les styles et les talents, il met encore en lumière une double fonction particulièrement importante de tels récits de fiction : un engagement à la réflexion et l'éducation morale qui le rend apte à venir éventuellement au secours de l'enfant et de l'adolescent dans leur conduite ordinaire.*

*L'enfant sait bien que tout est loin d'être parfait autour de lui. Et même au-delà du miroir : dans ce monde inaccessible et pourtant voisin, la violence, la cruauté se manifestent ; les bonnes fées et les bons génies sont en concurrence avec les forces du mal ; les mauvaises actions sont punies, la bonté et l'honnêteté récompensées, à condition que l'injustice ne vienne pas s'en mêler ; le bonheur se mérite et se gagne dans l'effort et la peine. Tout comme ici-bas. Pourquoi, dans ces conditions, les événements qui s'y déroulent ne pourraient-ils pas être transposés sur notre Terre ? Si le petit homme a la chance de rencontrer, au cours de ses lectures, un personnage inventé dans lequel il se retrouve, auquel il s'assimile, qui devient en quelque sorte un modèle et un guide qui l'encourage à réfléchir sur lui-même, et si ce personnage, tout au long du récit, montre une volonté de combattre ses propres défauts et de développer ses propres qualités, alors la rencontre peut déclencher une métamorphose salutaire.*

*Le conte moralisateur, influencé par la morale chrétienne, est le meilleur exemple de ces écrits qui, à l'occasion d'aventures attrayantes, proposent – mais n'imposent jamais –, avec plus de subtilité qu'un guide de bonne conduite sec et contraignant, des règles de vie heureuse et saine, qui souvent donnent envie d'en faire l'essai spontanément.*

*Autre manière vivante et profitable de lecture des contes : la lecture en commun. Conduite avec intelligence et souplesse, elle peut déboucher sur un fructueux échange d'idées, où chacun apporte un peu de lui-même, contribue à faire surgir des questions, à exposer des avis, à mieux cerner un problème délicat, à mieux se connaître.*

*On le voit, le conte n'est pas aussi futile ni aussi innocent que certains voudraient le laisser penser. Et d'ailleurs, aurait-il traversé les siècles, se serait-il enrichi, serait-il plus que jamais vivant et florissant s'il offrait aussi peu d'intérêt ?*

*Dans sa fable* Le pâtre et le lion, *Jean de La Fontaine nous donne le mot de la fin :*

Une morale nue apporte de l'ennui :
Le conte fait passer le précepte avec lui.
En ces sortes de feinte il faut instruire et plaire,
Et conter pour conter me semble peu d'affaire.

*Instruisons-nous donc dans le plaisir de lecture des contes.*

*S'il en est ainsi avec ce livre, il aura atteint son but.*

*Michelle Gautheyrou*

# LE ROMAN DE RENART

*Septième aventure : Renart et les harengers*

XII<sup>e</sup>, XIII<sup>e</sup> siècles : en France et dans tout l'Occident, les animaux deviennent les acteurs de nombreux poèmes contant des aventures audacieuses et souvent comiques. Le goupil, en particulier, malin et rusé comme nul autre, va connaître une telle notoriété qu'il va finir par troquer définitivement son nom d'origine et d'espèce contre le prénom de RENART que lui attribuèrent certains chroniqueurs de l'époque.

On fait généralement remonter les origines du Roman de Renart à l'Ysengrimus, un poème latin, aux Fables de Marie de France, et à des contes d'origine orientale composés par un certain Pierre Alphonse au début du XII<sup>e</sup> siècle.

Le Roman de Renart comporte plus de vingt cinq mille vers d'auteurs multiples et la plupart du temps anonymes.

Seul ou en compagnie de son complice le loup Ysengrin (qui, le plus souvent, devient sa victime), il commet sans vergogne larcins et indélicatesses, n'hésitant pas à mentir, à tromper, pour parvenir à ses fins. Sa seule vertu est sans doute son attachement à sa famille, bien que là encore il soit nécessaire d'émettre certaines réserves...

Un jour d'hiver, la faim le tenaillant, voici comment il s'y prit pour se nourrir et procurer pitance aux siens.

*Illustration :* Grandville.

Renart n'avait pas toujours le temps à souhait, et ses entreprises n'étaient pas toutes également heureuses. Quand le doux temps d'été faisait place au rigoureux hiver, il était souvent à bout de provisions, il n'avait rien à donner, rien à dépendre : les usuriers lui faisaient défaut, il ne trouvait plus de crédit chez les marchands. Un de ces tristes jours de profonde disette, il sortit de Maupertuis, déterminé à n'y rentrer que les poches gonflées. D'abord il se glisse entre la rivière et le bois dans une jonchère, et quand il est las de ses vaines recherches, il approche du chemin ferré, s'accroupit dans l'ornière, tendant le cou d'un et d'autre côté. Rien encore ne se présente. Dans l'espoir de quelque chance meilleure, il va se placer devant une haie, sur le versant du chemin : enfin il entend un mouvement de roues. C'était des marchands qui revenaient des bords de la mer, ramenant des harengs frais, dont, grâce au vent de bise qui avait soufflé toute la semaine, on avait fait pêche abondante ; leurs paniers crevaient sous le poids des anguilles et des lamproies qu'ils avaient encore achetées, chemin faisant.

A la distance d'une portée d'arc, Renart reconnut aisément les lamproies et les anguilles. Son plan est bientôt fait : il rampe sans être aperçu jusqu'au milieu du chemin, il s'étend et se vautre, jambes écartées, dents rechignées, la langue pantelante, sans mouvement et sans haleine. La voiture avance ; un des marchands regarde, voit un corps immobile, et appelant son compagnon : « Je ne me trompe pas, c'est un goupil ou un blaireau. » – « C'est un goupil », dit l'autre ; « descendons, emparons-nous-en, et surtout qu'il ne nous échappe. » Alors ils arrêtent le cheval, vont à Renart, le poussent du pied, le pincent et le tirent ; et comme ils le voient immobile, ils ne doutent pas qu'il ne soit mort. « Nous n'avions pas besoin d'user de grande adresse ; mais que peut valoir sa pelisse ? » – « Quatre livres », dit l'un. – « Dites cinq », reprend l'autre, « et pour le moins ; voyez sa gorge, comme elle est blanche et fournie ! C'est la bonne saison. Jetons-le sur la charrette. »

Ainsi dit, ainsi fait. On le saisit par les pieds, on le lance entre les paniers, et la voiture se remet en mouvement. Pendant qu'ils se félicitent de l'aventure et qu'ils se promettent de découdre, en arrivant, la robe de Renart, celui-ci ne s'en inquiète guère ; il sait qu'entre faire et dire il y a souvent un long trajet. Sans perdre de temps, il étend la patte sur le bord d'un panier, se dresse doucement, dérange la couverture, et tire à lui deux douzaines des plus beaux harengs. Ce fut pour aviser avant tout à la grosse faim qui le travaillait. D'ailleurs il ne se pressa pas, peut-être même eut-il le loisir de regretter l'absence de sel, mais il n'avait pas l'intention de se contenter de si peu. Dans le panier voisin frétillaient les anguilles : il en attira vers lui cinq à six des plus belles ; la difficulté était de les emporter, car il n'avait plus faim. Que fait-il ? Il aperçoit dans la charrette une botte de ces ardillons d'osier qui servent à embrocher les poissons : il en prend deux ou trois, les passe dans la tête des anguilles, puis se roule de façon à former de ces ardillons une triple ceinture, dont il rapproche les extrémités en tresse. Il s'agissait maintenant de quitter la voiture ; ce fut un jeu pour lui : seulement il attendit que l'ornière vînt trancher sur le vert gazon, pour se couler sans bruit et sans risque de laisser après lui les anguilles.

Et cela fait, il aurait eu regret d'épargner un brocart aux voituriers. « Dieu vous maintienne en joie, beaux vendeurs de poisson ! » leur cria-t-il. « J'ai fait avec vous un partage de frère : j'ai mangé vos plus gros harengs et j'emporte vos meilleures anguilles ; mais je laisse le plus grand nombre. »

Quelle ne fut pas alors la surprise des marchands ! Ils crient : *Au goupil, au goupil !* mais le goupil ne les redoutait guère : il avait les meilleures jambes. « Fâcheux contretemps ! » disent-ils, « et quelle perte pour nous, au lieu du profit que nous pensions tirer de ce maudit animal ! Voyez comme il a dégagé nos paniers ; puisse-t-il en crever au moins d'indigestion ! »

« Tant qu'il vous plaira », dit Renart, « je ne crains ni vous ni vos souhaits. » Puis il reprit tranquillement le chemin de Maupertuis. Hermeline, la bonne et sage dame, l'attendait à l'entrée ; ses deux fils, Malebranche et Percehaye, le reçurent avec tout le respect qui lui était dû, et quand on vit ce qu'il rapportait, ce fut une joie et des embrassements sans fin. « A table ! » s'écria-t-il, « que l'on ait soin de bien fermer les portes, et que personne ne s'avise de nous déranger. »

# YVAIN, LE CHEVALIER AU LION

CHRÉTIEN DE TROYES. Né vers 1130 à Troyes, mort vers 1195

*Ne possédant aujourd'hui aucun document pour en faire la preuve, on suppose que Chrétien de Troyes est né aux alentours de 1130 à Troyes. Le Moyen Age garde bien des mystères !*

*Certains de ses écrits se sont perdus au cours des siècles (un* Tristan et Iseut, *par exemple). Son œuvre fut considérable. On peut citer* Lancelot ou le chevalier à la charrette, Yvain le chevalier au lion, Perceval ou le conte du Graal, *dédié à Philippe d'Alsace, comte de Flandre, qu'il n'a pas terminé. Chrétien de Troyes n'est certes pas l'inventeur de la légende du roi Arthur (que l'on découvre, avant lui, dans le* Roman de Bru, *du poète anglo-normand Robert Wace), mais il a su la transposer dans la société de son temps et se trouve considéré par certains comme un précurseur du roman psychologique.*

*Dans le texte que nous reproduisons (écrit vers 1175), le chevalier Yvain rencontre le lion qui va devenir son plus dévoué compagnon.*

*Illustration* : A. Dürer.

Monseigneur Yvain cheminait mélancoliquement à travers une forêt profonde, quand, tout à coup, il entendit au milieu de la feuillée un cri très douloureux et très fort. Il se dirigea alors vers l'endroit d'où venait le cri qu'il avait entendu et, quand il fut parvenu à cet endroit, il vit, dans une clairière, un lion et un serpent qui le tenait par la queue et qui lui brûlait tous les reins, d'une flamme brûlante. Monseigneur Yvain ne passe pas beaucoup de temps à regarder ce prodige : il délibère en lui-même pour savoir auquel des deux il portera secours. Il se dit alors qu'il portera secours au lion, car à une créature venimeuse et perfide on ne doit faire que du mal, or précisément le serpent est venimeux et du feu lui sort par la bouche, tellement il est plein de traîtrise. Aussi monseigneur Yvain décide-t-il de le tuer en premier. Il tire son épée, s'avance et met l'écu devant son visage, pour ne pas être brûlé par la flamme que le serpent lançait par sa gueule, qui était plus large qu'une marmite. Si le lion l'assaille ensuite, il trouvera avec qui se battre, mais, quoi qu'il lui arrive par la suite, il est décidé néanmoins à l'aider, car la pitié le pousse et l'exhorte à porter secours et aide à la noble et généreuse bête. Avec son épée, qui tranche facilement, il va attaquer l'ignoble serpent. Il le tranche jusqu'à terre et le tronçonne en deux moitiés ; il frappe et refrappe, et s'acharne tellement dessus, qu'il le met en pièces et le coupe en petits morceaux.

Mais il lui fallut trancher un morceau de la queue du lion, à cause de la tête de l'ignoble serpent qui le tenait par la queue. Il en trancha autant qu'il fallait en trancher : pas un instant il ne put faire autrement. Quand il eut fini de délivrer le lion, il crut qu'il lui faudrait se battre contre lui et que l'amiral se jetterait sur lui ; mais cette pensée ne lui traversa pas un instant l'esprit. Écoutez ce que fit alors le lion, comme il se conduisit noblement et généreusement : il se mit à montrer à notre héros, par son attitude, qu'il lui faisait sa soumission, en étendant vers lui ses pieds joints et en inclinant sa tête vers la terre ; il se tenait debout sur ses pieds de derrière et puis il s'agenouillait à nouveau et mouillait toute sa face de larmes, en signe d'humilité. Monseigneur Yvain comprend avec certitude que le lion le remercie et qu'il s'humilie devant lui, parce qu'il a tué le serpent et l'a délivré de la mort. Cette aventure lui plaît beaucoup. A cause du venin et de l'impureté du serpent, il essuie son épée et la replace dans son fourreau, puis se remet en route, et le lion de se mettre à marcher à côté de lui : jamais plus il ne quittera notre héros. Toujours il ira avec lui, car il veut le servir et le protéger.

# GARGANTUA

## Comment Gargantua mangea, en salade, six pèlerins

FRANÇOIS RABELAIS. Né à Chinon dans les toutes dernières années du xv$^e$ siècle, peut-être en 1494, mort le 9 avril 1553 (mais rien n'est moins sûr).

*D'origine paysanne, la famille Rabelais s'est peu à peu élevée dans l'échelle sociale. Le père de François Rabelais était avocat. François, pour sa part, apprend le latin, devient novice au monastère des Cordeliers de Fontenay-le-Comte, étudie le grec. Vers 1525, au prieuré de Ligugé, il écrit sa première œuvre, en langue « vulgaire », autrement dit en français. À Poitiers, il se familiarise avec le droit. Il a trente-cinq ans lorsqu'il s'inscrit à la Faculté de médecine de Montpellier. Deux ans plus tard, bien que non diplômé, il est médecin à l'Hôtel-Dieu de Lyon. C'est alors qu'il publie son* Pantagruel, *condamné par la Sorbonne comme ouvrage obscène. Il fait ensuite paraître* La vie très horrifique du grand Gargantua. *Persécuté, abandonné de tous, il connaît une mort obscure, dans la misère.*

*Imagination débordante, extravagance, explosion de vie, verve, truculence, richesse du vocabulaire, couleurs des mots, il y a tout cela dans les récits de cet homme hors du commun, même si, souvent, il peut choquer par sa vulgarité.*

*Illustration :* G Doré.

L'histoire veut que nous racontions ce qu'il advint à six pèlerins venant de Saint-Sébastien près de Nantes, et qui, pour s'abriter cette nuit-là, de peur des ennemis, s'étaient cachés dans les jardins parmi les choux, les laitues et sous les rames de pois.

Gargantua se trouvant altéré, demanda si l'on pourrait trouver quelques laitues pour lui faire une salade. En entendant dire qu'il y avait dans le jardin les plus belles et les plus grandes du pays – elles étaient grandes comme des pruniers ou des noyers – il voulut y aller lui-même. Il en emporta dans sa main tout ce que bon lui sembla, dont les six pèlerins qui avaient si grand'peur qu'ils n'osaient ni parler ni tousser.

Il alla laver les salades à la fontaine. Pendant qu'il s'en acquittait, les pèlerins murmuraient entre eux :

« Faut-il nous laisser noyer entre ces laitues ? Parlerons-nous ? Mais si nous parlons, il nous tuera comme des espions. »

Comme ils délibéraient ainsi, Gargantua les mit, avec ses laitues, dans un plat de la maison grand comme la tonne de Cîteaux, les assaisonna d'huile, de vinaigre et de sel. Il en avait déjà englouti cinq pour se rafraîchir avant le souper, lorsque le bourdon du sixième, qui se trouvait caché sous une laitue, apparut au-dessus. Grandgousier, le voyant, dit à Gargantua :

« Je crois que c'est là une corne de limaçon ; ne le mangez point. »
– « Pourquoi ? » répondit Gargantua ; « ils sont bons tout ce mois. »

Et tirant le bourdon, il enleva en même temps le pèlerin qu'il avala fort bien, buvant par-dessus un horrible trait de vin pineau, en attendant que l'on apprêtât le souper.

Les pèlerins, ainsi dévorés, se tirèrent du mieux qu'ils purent des meules de ses dents. Ils pensaient qu'on les avait mis en quelque basse fosse de prison. Mais lorsque Gargantua but le grand trait, ils crurent être noyés dans sa bouche ; toutefois le torrent du vin les emporta presque dans le gouffre de son estomac. Sautant alors sur leurs bourdons comme font les enfants qui vont en pèlerinage à Saint-Michel, ils se réfugièrent au bord de ses dents. Par malheur,

11.

l'un d'eux, explorant le pays à l'aide de son bâton, pour savoir s'il s'y trouvait en sûreté, frappa rudement dans le trou d'une dent creuse et toucha le nerf de la mandibule, ce qui causa à Gargantua une très forte douleur, qui le fit crier de rage. Pour donc se soulager du mal, il fit apporter son cure-dent, et, sortant vers le noyer grollier, dénicha bien messieurs les pèlerins.

Il attrapa l'un par les jambes, l'autre par les épaules, l'autre par la besace, l'autre par la poche, l'autre par l'écharpe. Le pauvre hère qui l'avait frappé du bourdon fut accroché par sa braguette. Toutefois ce fut un grand bonheur pour lui, car il perça une bosse chancreuse qui le martyrisait depuis le temps où il avait passé Ancenis.

Les pèlerins ainsi dénichés s'enfuirent à beau trot. La douleur de Gargantua s'apaisa.

A cette heure-là, Eudémon l'appela pour souper, car tout était prêt :

« Je vais, dit-il, pisser mon malheur. »

Il pissa si copieusement que l'urine coupa le chemin aux pèlerins, qui furent contraints de passer le lac. Passant de là par l'orée du petit bois, ils tombèrent tous, excepté Fournillier, en une trappe qu'on avait faite pour prendre les loups à la traînée. Ils purent s'échapper grâce à l'intervention du dit Fournillier, qui rompit tous les filets et cordages. Ils passèrent ensuite le reste de la nuit couchés en une cabane près du Coudray. Ils y furent réconfortés de leur malheur par les bonnes paroles d'un de leur compagnie, nommé Lasdaller, qui leur rappela que cette aventure avait été prédite par David.

# FABLES

JEAN DE LA FONTAINE. Né à Château-Thierry le 8 septembre 1621, mort à Paris le 13 avril 1695.

*Son père, maître des eaux et forêts et capitaine des chasses, faisait partie des notables de Château-Thierry. On sait peu de chose sur les études du jeune Jean de La Fontaine. En 1641, on le retrouve novice à l'Oratoire. Brève vocation sacerdotale : il avait un caractère trop changeant, il aimait trop la liberté pour accepter la moindre contrainte. Vers 1646, il obtient le titre d'avocat en la cour du Parlement. En 1647, il épouse Marie Héricart. Sa vie conjugale est à l'image de son inconstance. En 1652, il achète une charge de maître particulier triennal des eaux et forêts, parcourant les bois autour de Château-Thierry, se mêlant aux réalités de la vie rustique.*

*Il sera élu à l'Académie française en 1683.*

*En 1658, Fouquet devient son protecteur ; puis Madame, veuve de Gaston d'Orléans, en fait l'un de ses gentilhommes servants. C'est de cette époque que datent les premiers recueils de contes (des contes audacieux, inspirés de la tradition gauloise des fabliaux, et réservés aux adultes) et les six premiers livres des* Fables *d'où sont extraites celles que nous reproduisons dans cet ouvrage. Les quelques vers en introduction à ces livres de* Fables *expriment clairement le propos de La Fontaine en les publiant :*
Je chante les héros dont Esope est le père,
Troupe de qui l'histoire, encore que mensongère,
Contient des vérités qui servent de leçons.
Tout parle en mon ouvrage, et même les poissons ;
Ce qu'ils disent s'adresse à tous tant que nous sommes ;
Je me sers d'animaux pour instruire les hommes.

*Ajoutons, pour l'anecdote, que le grand entomologiste Jean-Henri Fabre (1823-1915), par ailleurs admirateur de La Fontaine, s'insurge contre le fabuliste et, avant lui, les Grecs et Esope, qui semblent tout ignorer de la cigale. Par son chant, écrit Fabre, « c'est une importune voisine, je me hâte de le reconnaître... » ; mais « en aucun temps, la cigale ne va crier famine aux portes des fourmilières, promettant loyalement de rendre intérêt et principal ; tout au contraire, c'est la fourmi qui, pressée par la disette, implore la chanteuse. Que dis-je, implore ! Emprunter et rendre n'entrent pas dans les mœurs de la pillarde. Elle exploite la cigale, effrontément la dévalise. »*

*Illustration :* Vimar.

## LE CORBEAU ET LE RENARD

Maître corbeau, sur un arbre perché,
Tenait en son bec un fromage.
Maître renard, par l'odeur alléché,
Lui tint à peu près ce langage :
Hé ! bonjour, monsieur du corbeau.
Que vous êtes joli ! que vous me semblez beau !

Sans mentir, si votre ramage
Se rapporte à votre plumage,
Vous êtes le phénix des hôtes de ces bois.
A ces mots le corbeau ne se sent pas de joie ;
Et, pour montrer sa belle voix,
Il ouvre un large bec, laisse tomber sa proie.
Le renard s'en saisit, et dit : Mon bon Monsieur,
Apprenez que tout flatteur
Vit aux dépens de celui qui l'écoute.
Cette leçon vaut bien un fromage, sans doute.
Le corbeau, honteux et confus,
Jura, mais un peu tard, qu'on ne l'y prendrait plus.

# LA CIGALE ET LA FOURMI

La cigale, ayant chanté
Tout l'été,
Se trouva fort dépourvue
Quand la bise fut venue :
Pas un seul petit morceau
De mouche ou de vermisseau.
Elle alla crier famine
Chez la fourmi, sa voisine,
La priant de lui prêter
Quelque grain pour subsister
Jusqu'à la saison nouvelle.
– Je vous paîrai, lui dit-elle,
Avant l'oût, foi d'animal,
Intérêt et principal.
La fourmi n'est pas prêteuse :
C'est là son moindre défaut.
– Que faisiez-vous au temps chaud ?
Dit-elle à cette emprunteuse.
– Nuit et jour à tout venant
Je chantais, ne vous déplaise.
– Vous chantiez, j'en suis fort aise !
Eh bien, dansez maintenant.

## LE CERF SE VOYANT DANS L'EAU

Dans le cristal d'une fontaine
Un cerf se mirait autrefois,
Louait la beauté de son bois,
Et ne pouvait qu'avecque peine

Souffrir ses jambes de fuseaux,
Dont il voyait l'objet se perdre dans les eaux.
Quelle proportion de mes pieds à ma tête !
Disait-il en voyant leur ombre avec douleur :
Des taillis les plus hauts mon front atteint le faîte ;

Mes pieds ne me font point d'honneur.
Tout en parlant de la sorte,
Un limier le fait partir.
Il tâche à se garantir ;
Dans les forêts il s'emporte :
Son bois, dommageable ornement,
L'arrêtant à chaque moment,
Nuit à l'office que lui rendent
Ses pieds, de qui ses jours dépendent.
Il se dédit alors, et maudit les présents
Que le Ciel lui fait tous les ans.

Nous faisons cas du beau, nous méprisons l'utile ;
Et le beau souvent nous détruit.
Ce cerf blâme ses pieds qui le rendent agile ;
Il estime un bois qui lui nuit.

# LA BELLE
# AU BOIS DORMANT

CHARLES PERRAULT. Né à Paris le 12 janvier 1628, mort à Paris le 16 mai 1703.

*Tout jeune, Perrault se passionnait déjà pour la littérature. Alors qu'il était encore au Collège de Beauvais, il composa, avec ses deux frères et son ami Baurin, une Enéide travestie. Avocat au barreau de Paris en 1651, il devint ensuite, grâce à Colbert, protecteur de la famille Perrault, commis de l'administration de la recette générale des finances (de 1654 à 1664), puis il occupa les fonctions de contrôleur général de la surintendance des bâtiments du roi. En 1671, il entra à l'Académie française.*

*Cet homme aimable, familier des salons où son esprit était apprécié, dut cependant sa célébrité à l'ouvrage qu'il publia en 1697 :* Histoires et contes du temps passé avec des moralités. *A l'époque, la mode était aux contes et Colbert encourageait ce penchant à écrire des récits merveilleux où l'irréel régnait avec bonheur.*

*Au cours des siècles, le conte de* La belle au bois dormant *inspira tout particulièrement compositeurs de musique et chorégraphes.*

*Illustration* : G. Doré.

Il était une fois un Roi et une Reine, qui étaient si fâchés de n'avoir point d'enfants, si fâchés qu'on ne saurait dire. Ils allèrent à toutes les eaux du monde, vœux, pèlerinages, menues dévotions ; tout fut mis en œuvre, et rien n'y faisait. Enfin pourtant la Reine devint grosse, et accoucha d'une fille : on fit un beau Baptême ; on donna pour Marraines à la petite Princesse toutes les Fées qu'on pût trouver dans le Pays (il s'en trouva sept), afin que chacune d'elles lui faisant un don, comme c'était la coutume des Fées en ce temps-là, la Princesse eût par ce moyen toutes les perfections imaginables. Après les cérémonies du Baptême toute la compagnie revint au Palais du Roi, où il y avait un grand festin pour les Fées. On mit devant chacune d'elles un couvert magnifique, avec un étui d'or massif, où il y avait une cuiller, une fourchette, et un couteau de fin or, garni de diamants et de rubis. Mais comme chacun prenait sa place à table, on vit entrer une vieille Fée qu'on n'avait point priée parce qu'il y avait plus de cinquante ans qu'elle n'était sortie d'une Tour, et qu'on la croyait morte, ou enchantée. Le Roi lui fit donner un couvert, mais il n'y eut pas moyen de lui donner un étui d'or massif, comme aux autres, parce que l'on n'en avait fait faire que sept pour les sept Fées. La vieille crut qu'on la méprisait, et grommela quelques menaces entre ses dents. Une des jeunes Fées qui se trouva auprès d'elle l'entendit, et jugeant qu'elle pourrait donner quelque fâcheux don à la petite Princesse, alla, dès qu'on fut sorti de table, se cacher derrière la tapisserie, afin de parler la dernière, et de pouvoir réparer autant qu'il lui serait possible le mal que la vieille aurait fait. Cependant les Fées commencèrent à faire leurs dons à la Princesse. La plus jeune lui donna pour don qu'elle serait la plus belle personne du monde, celle d'après qu'elle aurait de l'esprit comme un Ange, la troisième qu'elle aurait une grâce admirable à tout ce qu'elle ferait, la quatrième qu'elle danserait parfaitement bien, la cinquième qu'elle chanterait comme un Rossignol, et la sixième qu'elle jouerait de toutes sortes d'instruments dans la dernière perfection. Le rang de la vieille Fée étant venu, elle dit en branlant la tête, encore plus de dépit que de vieillesse, que la Princesse se percerait la main d'un fuseau, et qu'elle en mourrait. Ce terrible don fit frémir toute la compagnie, et il n'y eut personne qui ne pleurât. Dans ce moment la jeune Fée sortit de derrière la tapisserie, et dit tout haut ces paroles : « Rassurez-vous, Roi et Reine, votre fille n'en mourra pas : il est vrai que je n'ai pas assez de puissance pour défaire entièrement ce que mon ancienne a fait. La Princesse se percera la main d'un fuseau ; mais au lieu d'en mourir, elle tombera seulement dans un profond sommeil qui durera cent ans, au bout desquels le fils d'un Roi viendra la réveiller. » Le Roi, pour tâcher d'éviter le malheur annoncé par la vieille, fit publier aussitôt un Édit, par lequel il défendait à toutes personnes de filer au fuseau, ni d'avoir des fuseaux chez soi sur peine de la vie. Au bout de quinze ou seize ans, le Roi et la Reine étant allés à une de leurs Maisons de plaisance, il arriva que la jeune Princesse courant un jour dans le Château, et montant de chambre en chambre, alla jusqu'au haut d'un donjon dans un petit galetas, où une bonne vieille était seule à filer sa quenouille. Cette bonne femme n'avait point ouï parler de défenses que le Roi avait faites de filer au fuseau. « Que faites-vous là, ma bonne femme ? dit la Princesse. – Je file, ma belle enfant, lui répondit la vieille qui ne la connaissait pas. – Ha ! que cela est joli, reprit la Princesse, comment faites-vous ? donnez-moi que je voie si j'en ferais bien autant. » Elle n'eut pas plus tôt pris le fuseau, que comme elle était fort vive, un peu étourdie, et que d'ailleurs l'Arrêt des Fées l'ordonnait ainsi, elle s'en perça la main, et tomba évanouie. La bonne vieille, bien embarrassée, crie au secours : on vient de tous côtés, on jette de l'eau au visage de la Princesse, on la délace, on lui frappe dans les mains, on lui frotte les tempes avec de l'eau de la Reine de Hongrie ; mais rien ne la faisait revenir. Alors le Roi, qui était monté au bruit, se souvint de la prédiction des Fées, et jugeant bien qu'il fallait que cela arrivât, puisque les Fées l'avaient dit, fit mettre la Princesse dans le plus bel appartement du Palais, sur un lit en broderie d'or et d'argent. On eût dit d'un Ange, tant elle était belle ; car son évanouissement n'avait pas ôté les couleurs vives de son teint : ses joues étaient incarnates, et ses lèvres comme du corail ; elle avait seulement les yeux fermés, mais on l'entendait respirer doucement, ce qui faisait voir qu'elle n'était pas morte. Le Roi ordonna qu'on la laissât dormir en repos, jusqu'à ce que son heure de se réveiller fût venue. La bonne Fée qui lui avait sauvé la vie, en la condamnant à dormir cent ans, était dans le Royaume de Mataquin, à douze mille lieues de là, lorsque l'accident arriva à la Princesse ; mais elle en fut avertie en un instant par un petit Nain, qui avait des bottes de sept lieues (c'était des bottes avec lesquelles on faisait sept lieues d'une seule enjambée). La Fée partit aussitôt, et on la vit au bout d'une heure arriver dans un chariot tout de feu, traînée par des dragons. Le Roi lui alla présenter la main à la descente du chariot. Elle approuva tout ce qu'il avait fait ; mais comme elle était grandement prévoyante, elle pensa que quand la Princesse viendrait à se réveiller, elle serait bien embarrassée toute seule dans ce vieux Château : voici ce qu'elle fit. Elle toucha de sa baguette tout ce qui était dans ce Château (hors le Roi et la Reine). Gouvernantes, Filles d'Honneur, Femmes de Chambre, Gentilshommes, Officiers, Maîtres d'Hôtel, Cuisiniers, Marmitons, Galopins, Gardes, Suisses, Pages, Valets de pied ; elle toucha aussi tous les chevaux qui étaient dans les Écuries, avec les Palefreniers, les gros mâtins de basse-cour, et la petite Pouffe, petite chienne de la Princesse, qui était auprès d'elle sur son lit. Dès qu'elle les eut touchés, ils s'endormirent tous, pour ne se réveiller qu'en même temps que leur Maîtresse, afin d'être tout prêts à la servir quand elle en aurait besoin : les broches mêmes qui étaient au feu toutes pleines de perdrix et de faisans s'endormirent, et le feu aussi. Tout cela se fit en un moment ; les Fées n'étaient pas longues à leur besogne. Alors le Roi et la Reine, après avoir baisé leur chère enfant sans qu'elle s'éveillât, sortirent du Château, et firent publier des défenses à qui que ce soit d'en approcher. Ces défenses n'étaient pas nécessaires, car il crût dans un quart d'heure tout autour du parc une si grande quantité de grands arbres et de petits, de ronces et d'épines entrelacées les unes dans les autres, que bête ni homme n'y aurait pu passer : en sorte qu'on ne voyait plus que le haut des Tours du Château, encore n'était-ce que de bien loin. On ne douta point que la Fée n'eût encore fait là un tour de son métier, afin que la Princesse, pendant qu'elle dormirait, n'eût rien à craindre des Curieux.

Au bout de cent ans, le Fils du roi qui régnait alors, et qui était d'une autre famille que la Princesse endormie, étant allé à la chasse de ce côté-là, demanda ce que c'était que des Tours qu'il voyait au-dessus d'un grand bois fort épais ; chacun lui répondit selon s'il en avait ouï parler. Les uns disaient que c'était un vieux Château où il revenait des Esprits ; les autres que tous les Sorciers de la contrée y faisaient leur sabbat. La plus commune opinion était qu'un Ogre y demeurait, et que là il emportait tous les enfants qu'il pouvait attraper, pour les pouvoir manger à son aise, et sans qu'on le pût suivre, ayant seul le pouvoir de se faire un passage au travers du bois. Le Prince ne savait qu'en croire, lorsqu'un vieux Paysan prit la parole, et lui dit : « Mon Prince, il y a plus de cinquante ans que j'ai ouï dire à mon père qu'il y avait dans ce Château une Princesse, la plus belle du monde ; qu'elle y devait dormir cent ans, et qu'elle serait réveillée par le fils d'un roi, à qui elle était réservée. » Le jeune Prince à ce discours se sentit tout de feu ; il crut sans balancer qu'il mettrait fin à une si belle aventure ; et poussé par l'amour et par la gloire, il résolut de voir sur-le-champ ce qui en était. A peine s'avança-t-il vers le bois, que tous ces grands arbres, ces ronces et ces épines s'écartèrent d'elles-mêmes pour le laisser passer : il marche vers le Château qu'il voyait au bout d'une grande avenue où il entra, et ce qui le surprit un peu, il vit que personne de ses gens ne l'avait pu suivre, parce que les arbres s'étaient rapprochés dès qu'il avait été passé. Il ne laissa pas de continuer son chemin : un Prince jeune et amoureux est toujours vaillant. Il entra dans une grande avant-cour où tout ce qu'il vit d'abord était capable de le glacer de crainte : c'était un silence affreux, l'image de la mort s'y présentait partout, et ce n'était que des corps étendus d'hommes et d'animaux, qui paraissaient morts. Il reconnut pourtant bien au nez bourgeonné et à la face vermeille des Suisses qu'ils n'étaient qu'endormis, et leurs tasses, où il y avait encore quelques gouttes de vin, montraient assez qu'ils s'étaient endormis en buvant. Il passe une grande cour pavée de marbre, il monte l'escalier, il entre dans la salle des Gardes qui étaient rangés en haie, la carabine sur l'épaule, et ronflants de leur mieux. Il traverse plusieurs chambres pleines de Gentilshommes et de Dames, dormants tous, les uns debout, les autres assis ; il entre dans une chambre toute dorée, et il vit sur un lit, dont les rideaux étaient ouverts de tous côtés, le plus beau spectacle qu'il eût jamais vu : une Princesse qui paraissait avoir quinze ou seize ans, et dont l'éclat resplendissant avait quelque chose de lumineux et de divin. Il s'approcha en tremblant et en admirant, et se mit à genoux auprès d'elle. Alors comme la fin de l'enchantement était venue, la Princesse s'éveilla ; et le regardant avec des yeux plus tendres qu'une première vue ne semblait le permettre : « Est-ce vous, mon Prince ? lui dit-elle, vous vous êtes bien fait attendre. » Le Prince, charmé de ces paroles, et plus encore de la manière dont elles étaient dites, ne savait comment lui témoigner sa joie et sa reconnaissance ; il l'assura qu'il l'aimait plus que lui-même. Ses discours furent mal rangés, ils en plurent davantage : peu d'éloquence, beaucoup d'amour. Il était plus embarrassé qu'elle, et l'on ne doit pas s'en étonner ; elle avait eu le temps de songer à ce qu'elle aurait à lui dire, car il y a apparence (l'Histoire n'en dit pourtant rien) que la bonne Fée, pendant un si long sommeil, lui avait procuré le plaisir des songes agréables.

Enfin il y avait quatre heures qu'ils se parlaient, et ils ne s'étaient pas encore dit la moitié des choses qu'ils avaient à se dire.

Cependant tout le Palais s'était réveillé avec la Princesse ; chacun songeait à faire sa charge, et comme ils n'étaient pas tous amoureux, ils mouraient de faim ; la Dame d'honneur, pressée comme les autres, s'impatienta, et dit tout haut à la Princesse que la viande était servie. Le Prince aida à la Princesse à se lever ; elle était tout habillée et fort magnifiquement ; mais il se garda bien de lui dire qu'elle était habillée comme ma mère-grand, et qu'elle avait un collet monté : elle n'en était pas moins belle. Ils passèrent dans un Salon de miroirs, et y soupèrent, servis par les Officiers de la Princesse ; les Violons et les Hautbois jouèrent de vieilles pièces, mais excellentes, quoiqu'il y eût près de cent ans qu'on ne les jouât plus ; et après soupé, sans perdre de temps, le grand Aumônier les maria dans la Chapelle du Château, et la Dame d'honneur leur tira le rideau : ils dormirent peu, la Princesse n'en avait pas grand besoin, et le Prince la quitta dès le matin pour retourner à la Ville, où son père devait être en peine de lui. Le Prince lui dit qu'en chassant il s'était perdu dans la forêt, et qu'il avait couché dans la hutte d'un Charbonnier, qui lui avait fait manger du pain noir et du fromage. Le roi son père, qui était bon homme, le crut, mais sa Mère n'en fut pas bien persuadée, et voyant qu'il allait presque tous les jours à la chasse, et qu'il avait toujours une raison en main pour s'excuser, quand il avait couché deux ou trois nuits dehors, elle ne douta plus qu'il n'eût quelque amourette : car il vécut avec la Princesse plus de deux ans entiers, et en eut deux enfants, dont le premier, qui fut une fille, fut nommée l'Aurore, et le second un fils, qu'on nomma le Jour, parce qu'il paraissait encore plus beau que sa sœur. La Reine dit plusieurs fois à son fils, pour le faire expliquer, qu'il fallait se contenter dans la vie, mais il n'osa jamais se fier à elle de son secret : il la craignait quoiqu'il l'aimât, car elle était de race Ogresse, et le Roi ne l'avait épousée qu'à cause de ses grands biens ; on disait même tout bas à la Cour qu'elle avait les inclinations des Ogres, et qu'en voyant passer de petits enfants, elle avait toutes les peines du monde à se retenir de se jeter sur eux ; ainsi le Prince ne voulut jamais rien dire. Mais quand le Roi fut mort, ce qui arriva au bout de deux ans, et qu'il se vit le maître, il déclara publiquement son Mariage, et alla en grande cérémonie quérir la Reine sa femme dans son Château. On lui fit une entrée magnifique dans la Ville Capitale, où elle entra au milieu de ses deux enfants. Quelque temps après le Roi alla faire la guerre à l'Empereur Cantalabutte son voisin. Il laissa la Régence du Royaume à la Reine sa mère, et lui recommanda fort sa femme et ses enfants : il devait être à la guerre tout l'Été, et dès qu'il fut parti, la Reine-Mère envoya sa Bru et ses enfants à une maison de campagne dans les bois, pour pouvoir plus aisément assouvir son horrible envie. Elle y alla quelques jours après, et dit un soir à son Maître d'Hôtel : « Je veux manger demain à mon dîner la petite Aurore. – Ah ! Madame, dit le Maître d'Hôtel. – Je le veux, dit la Reine (et elle le dit d'un ton d'Ogresse qui a envie de manger de la chair fraîche), et je la veux manger à la Sauce-robert. » Ce pauvre homme voyant bien qu'il ne fallait pas se jouer à une Ogresse, prit son grand couteau, et monta à la chambre de la petite Aurore : elle avait pour lors quatre ans, et vint en sautant et en riant se jeter à son col, et lui demander du bonbon. Il se mit à pleurer, le couteau lui tomba des mains, et il alla dans la basse-cour couper la gorge à un petit agneau, et lui fit une si bonne sauce que sa Maîtresse l'assura qu'elle n'avait jamais rien mangé de si bon. Il avait emporté en même temps la petite Aurore, et l'avait donnée à sa femme pour la cacher dans le logement qu'elle avait au fond de la basse-cour. Huit jours après la méchante Reine dit à son maître d'Hôtel : « Je veux manger à mon souper le petit Jour. » Il ne répliqua pas, résolu de la tromper comme l'autre fois ; il alla chercher le petit Jour, et le trouva avec un petit fleuret à la main, dont il faisait des armes avec un gros Singe : il n'avait pourtant que trois ans. Il le porta à sa femme qui le cacha avec la petite Aurore, et donna à la place du petit Jour un petit chevreau fort tendre, que l'Ogresse trouva admirablement bon.

Cela était fort bien allé jusque-là, mais un soir cette méchante Reine dit au Maître d'Hôtel : « Je veux manger la Reine à la même sauce que ses enfants. » Ce fut alors que le pauvre Maître d'Hôtel désespéra de la pouvoir encore tromper. La jeune Reine avait vingt ans passés, sans compter les cent ans qu'elle avait dormi : sa peau était un peu dure, quoique belle et blanche ; et le moyen de trouver dans la Ménagerie une bête aussi dure que cela ? Il prit la résolution, pour sauver sa vie, de couper la gorge à la Reine, et monta dans sa chambre, dans l'intention de n'en pas faire à deux fois ; il s'excitait à la fureur, et entra le poignard à la main dans la chambre de la jeune Reine. Il ne voulut pourtant point la surprendre, et il lui dit avec beaucoup de respect l'ordre qu'il avait reçu de la Reine-Mère.

« Faites votre devoir, lui dit-elle, en lui tendant le col ; exécutez l'ordre qu'on vous a donné ; j'irai revoir mes enfants, mes pauvres enfants que j'ai tant aimés » ; car elle les croyait morts depuis qu'on les avait enlevés sans lui rien dire.

« Non, non, Madame, lui répondit le pauvre Maître d'Hôtel tout attendri, vous ne mourrez point, et vous ne laisserez pas d'aller revoir vos chers enfants, mais ce sera chez moi où je les ai cachés, et je tromperai encore la Reine, en lui faisant manger une jeune biche en votre place. » Il la mena aussitôt à sa chambre, où la laissant embrasser ses enfants et pleurer avec eux, il alla accommoder une biche, que la Reine mangea à son soupé, avec le même appétit que si c'eût été la jeune Reine. Elle était bien contente de sa cruauté, et elle se préparait à dire au Roi, à son retour, que les loups enragés avaient mangé la Reine sa femme et ses deux enfants.

Un soir qu'elle rôdait à son ordinaire dans les cours et basses-cours du Château pour y halener quelque viande fraîche, elle entendit dans une salle basse le petit Jour qui pleurait, parce que la Reine sa mère le voulait faire fouetter, à cause qu'il avait été méchant, et elle entendit aussi la petite Aurore qui demandait pardon pour son frère. L'Ogresse reconnut la voix de la Reine et de ses enfants, et furieuse d'avoir été trompée, elle commande dès le lendemain au matin, avec une voix épouvantable, qui faisait trembler tout le monde, qu'on apportât au milieu de la cour une grande cuve, qu'elle fit remplir de crapauds, de vipères, de couleuvres et de serpents, pour y faire jeter la Reine et ses enfants, le Maître d'Hôtel, sa femme et sa servante : elle avait donné ordre de les amener les mains liées derrière le dos. Ils étaient là, et les bourreaux se préparaient à les jeter dans la cuve, lorsque le Roi, qu'on n'attendait pas si tôt, entra dans la cour à cheval ; il était venu en poste, et demanda tout étonné ce que voulait dire cet horrible spectacle ; personne n'osait l'en instruire, quand l'Ogresse, enragée de voir ce qu'elle voyait, se jeta elle-même la tête la première dans la cuve, et fut dévorée en un instant par les vilaines bêtes qu'elle y avait fait mettre. Le roi ne laissa pas d'en être fâché : elle était sa mère ; mais il s'en consola bientôt avec sa belle femme et ses enfants.

# MORALITÉ

Attendre quelque peu pour avoir un Époux,
Riche, bien fait, galant et doux,
La chose est assez naturelle,
Mais l'attendre cent ans et toujours en dormant,
On ne trouve plus de femelle,
Qui dormît si tranquillement.

La Fable semble encor vouloir nous faire entendre,
Que souvent de l'Hymen les agréables nœuds,
Pour être différés n'en sont pas moins heureux,
Et qu'on ne perd rien pour attendre ;
Mais le sexe avec tant d'ardeur,
Aspire à la foi conjugale,
Que je n'ai pas la force ni le cœur,
De lui prêcher cette Morale.

# LA BELLE AU BOIS... VEILLANT...

## Suite de La belle au bois dormant
### par Timothée TRIMM

TIMOTHÉE TRIMM *(Léo LESPÈS)*. Né à Bouchain, près de Valenciennes, en 1815, mort à Paris, en 1875.

*C'est sous le pseudonyme de Timothée Trimm que le journaliste Napoléon Lespès, dit Léo Lespès, collabora au* Figaro *et au* Petit Journal. Romancier, il publia* Les mystères du grand Opéra, Histoire à faire peur, *et une* Histoire républicaine et illustrée de la révolution de février 1848.

*Citant Balzac qui considérait que « la vie n'a pas de dénouement définitif... », il s'est amusé, dans les* Contes de Perrault continués, *à donner une suite à* La belle au bois dormant, *à* Riquet à la houpe, *à* Cendrillon *et à bien d'autres, pour « recréer les jeunes enfants ».*

*« Mes moralités sont un peu plus orthodoxes que celles de Perrault. Le Code Napoléon est appliqué aux fées et aux génies pour la première fois. »*

*Illustration* : H. de Montaut.

Rien n'est certes plus dramatique que cette histoire d'une belle princesse qui dormit cent ans.

Il n'y a pas de calmant des officines modernes qui puisse opérer une semblable merveille.

Mais Perrault nous avoue qu'au réveil la musique du château enchanté joua de vieux airs,

Que le cuisinier faisait de vieilles sauces,

Que les soldats portaient des armes qui n'étaient plus d'ordonnance,

Et que la beauté elle-même, encore vêtue d'un collet monté, avait l'air de sa propre grand'maman.

C'est peut-être à ces manières hors de mode qu'il faut attribuer la résolution de son mari de la laisser longtemps dans son château enchanté. D'ailleurs, la bonne dame était si peu au courant des choses du monde moderne, qu'elle ne savait pas ce que c'était qu'une ogresse,

Et que la reine mère, qui aimait la chair humaine, l'eût dévorée, elle et ses enfants, n'eût été ce bon maître d'hôtel qui les sauva...

Or, quand le roi fut depuis quelques semaines en ménage, il lui prit, petit à petit, un profond ennui.

Il fuyait la société de sa femme,

Et se refermait tristement dans sa chambre, cachant un chagrin secret.

Ce que voyant, la Belle au bois dormant se prit à être profondément inquiète,

Et à supplier la belle fée qui l'avait protégée de venir à son secours.

Celle-ci arriva dans un équipage de rosée, traîné par six papillons de couleurs différentes, et dont les reines étaient des tourbillons de vent.

« Chère princesse, lui dit l'immortelle, il y a donc quelque chose de bien urgent, que vous m'envoyez par Zéphir, mon commissaire *exprès,* vos plaintes et vos prières ?

– Oh ! bonne fée, mon mari s'ennuie !

31.

– Cela ne m'étonne pas, on s'ennuierait à moins.
– Vous savez pourquoi ?
– Admirablement.
– Et pourquoi bâille-t-il sans cesse devant moi ?
– Parce que vous êtes arriérée, chère belle... Un homme, fût-il prince accompli comme votre auguste époux..., eût-il ainsi que lui vaincu l'empereur Cantalabutte, son ennemi, ne saurait passer sa vie les yeux dans vos yeux.
– Que faut-il faire ?
– Causer, et vous ne savez rien !... Vous avez dormi cent ans sans vous réveiller, même sans changer de bonnet de nuit, et aujourd'hui vous n'êtes pas à la hauteur des progrès accomplis, des découvertes faites, des sciences conquises ; votre esprit a de la barbe grise, et votre ignorance est centenaire.
– Ainsi, fit la jeune princesse, je suis tout ce qu'il y a au monde de plus rococo ?
– Assurément.
– Et mon mari ne m'aimera plus ?

– A moins que vous ne cherchiez les moyens de conjurer le fléau qui vous accable. Voyez-vous, ma belle, l'ignorance est une ogresse qui dévore l'imagination et absorbe les dons les plus heureux de la nature.
– Et ne pourriez-vous, comme la cruelle mère de mon époux, la faire périr dans une grande cuve pleine de vipères, de crapauds et de couleuvres ?
– Il est plus difficile de combattre le Mal en esprit qu'en corps ; mais il y a un moyen.
– Lequel ?
– Il nous faut demander l'assistance des génies.
– Quels génies ?
– Ceux de l'intelligence et du savoir.
– Et combien doivent-ils être ?
– Autant en nombre que tu as dormi d'années.
– Ils sont cent !... Mais où logerons-nous ces immortels ?
– Rien n'est plus facile, interrompit la Fée ; ils sont de mes amis, et à ma sollicitation, quelque grands et supérieurs qu'ils puissent être, ils se gêneront et se rapetisseront quelque peu... pour entrer tous dans une armoire.
– Quoi ! cent génies sous clef ?
– Tu sais bien qu'il en est qui restent un million de siècles enfermés dans une bouteille... sans songer à faire sauter le bouchon... Demain tu auras la légion complète ; mais, afin de ne pas t'effrayer, ils adopteront une forme mignonne et rassurante.
– En vérité, chère fée ?
– Oui, tu n'auras qu'à les prendre, un par un, sans regarder dans l'armoire... ils ne te terrifieront pas. »
La princesse rêva toute la nuit à cette légion d'esprits supérieurs qui s'étaient mis à son service pour effacer ce que cent ans de sommeil avaient rendu ridicule et suranné dans sa jeune intelligence...
Elle songeait au génie des tempêtes, qui avale d'une bouchée les bâtiments à trois ponts ; – au génie des volcans, qui engloutit des

villes entières ; – aux génies jaloux, qui enferment leurs femmes au fond de l'Océan.

Et elle était si effrayée, le lendemain, en allant à l'armoire qui contenait ses cent génies, qu'elle amena avec elle Aurore et Jour, ses deux enfants.

« Si l'un d'eux veut de dire quelque chose de dur, fit Aurore, je le ferai gronder par ma poupée.

– S'il s'en trouve un seul qui soit méchant, je le couperai en deux avec mon sabre de bois », exclama Jour.

La princesse mit la main dans l'armoire mystérieuse et en sortit... UN LIVRE !...

Un beau volume relié richement, avec des feuillets dorés et des estampes nombreuses.

« Oh ! les jolies images ! » s'écrièrent ensemble les deux enfants.

C'était un Traité de Géographie, dans lequel la princesse apprit les révolutions survenues dans la distribution du globe durant le siècle où elle avait ronflé sur le côté gauche...

Quand elle eut achevé le volume, elle en prit un autre non moins beau, et contenant plus d'estampes encore.

« Oh ! les beaux rois couronnés ! » exclamèrent les enfants, radieux devant les images.

La princesse y apprit la vie des monarques sages, des grands législateurs, des souverains aimés des peuples et des glorieux ancêtres de la dynastie régnante à laquelle elle était alliée.

Quand elle eut terminé ce volume, elle fouilla de nouveau dans l'armoire sans autre crainte ; les génies, sous la forme pacifique de livres, se prêtaient si complaisamment à sa curiosité fructueuse !

Les feuillets tournaient tout seuls ! ! !

Et les tomes s'ouvraient sans cesse à l'endroit même où, à la fin de chaque jour, elle avait arrêté son étude...

Le troisième génie traitait de la Botanique et de l'Horticulture ; il racontait les améliorations du sol, l'enrichissement des champs, les recettes pour activer et décupler les moissons, la façon de greffer les roses et de marier les tulipes et les anémones.

« Oh ! les adorables fleurs ! » exclamèrent Aurore et Jour, en admirant les feuilles splendidement coloriées.

Tour à tour la princesse prit les génies de la Musique, du Dessin, de la Peinture, de la Poésie, de la Géométrie, de la Science hygiénique, de la Religion, de la Jurisprudence.

Des cent connaissances spéciales indispensables à une femme qui peut être appelée à devenir la régente d'un grand empire.

Or, dès les premiers jours il s'était fait un grand changement dans l'attitude de son auguste époux...

Il s'était rapproché de sa compagne, dont la causerie était devenue moins insignifiante.

Petit à petit, en sortant de la chasse, de la pêche ou du conseil, il allait l'entendre parler.

Il s'émerveillait petit à petit de son érudition.

Il y a mieux ; il s'extasia en voyant qu'Aurore et Jour, sans professeur, sans derviche instructeur, sans pachas lettrés à leur suite, devenaient de petits érudits.

Bientôt, quand il voulait une étude, un texte de loi, un fait historique exactement cité, il consultait sa femme.

Et au bout d'un an, elle assistait, comme la personne la plus sage de son royaume, aux délibérations des affaires de l'État.

Pénétrée de reconnaissance, la belle Dormeuse expédia à sa marraine un soupir d'amitié, ce qui équivalait à une lettre d'invitation.

La Fée arriva souriante comme une rose d'été.

« O ma belle marraine, lui dit-elle, quel prodige vous avez accompli ! mon époux n'est plus morose et boudeur, il ne regrette plus d'avoir traversé les ronces et les épines qui cachaient le palais enchanté où reposait ma beauté assoupie, et même quand par hasard je mets mes fanfreluches et mes bijoux d'il y a cent ans, il ne me dit plus que je suis vieille...

– C'est, répondit la fille des grands Esprits surnaturels, que vous avez appelé à votre aide les génies qui obéissent à une puissance plus forte que toutes les autres autorités de ce monde, à une puissance qui émancipe l'enfant et régénère le vieillard, et devant laquelle le sceptre et la couronne s'inclinent.

– Et comment se nomme cette puissance ? dirent à la fois Aurore et Jour en baisant la tunique parsemée d'étoiles de la fée.

– Cette puissance ?... dit la céleste protectrice en les caressant de ses ailes d'azur, elle se nomme LE SAVOIR. »

# HISTOIRE
# DU PÊCHEUR

ANTOINE GALLAND. Né à Rollot, dans la Somme, en 1646, mort à Paris en 1715.

*De 1670 à 1675, ce passionné d'Orient accompagne l'ambassadeur de France Nointel à Constantinople. Il apprend ensuite l'arabe, le persan, le turc. Au début du XVIII$^e$ siècle, on le retrouve professeur au Collège de France, après avoir occupé un temps la charge d'Antiquaire du Roi. Outre son* Journal de voyage à Constantinople, *on lui doit* Paroles remarquables, bons mots et maximes des Orientaux, des Fables indiennes, *et une traduction du Coran. Son œuvre majeure reste (on y fait toujours référence de nos jours) l'adaptation en français des contes des* Mille et une nuits *en douze volumes, qu'il mit plus de douze ans à réaliser, et qui fit connaître cette littérature magique et féérique en Occident.*

*Venus de Perse, d'Inde, d'Égypte,* Les contes des Mille et une nuits, *dont l'origine se perd dans la nuit des temps, constituent l'un des recueils les plus importants et les plus riches du patrimoine littéraire oriental.*

*Un même récit court tout au long des recueils et sert de support aux contes multiples et très divers qui constituent l'ensemble. Nous en avons extrait l'*Histoire du pêcheur. *Bien sûr, ce conte n'est pas français quant à ses origines, mais il démontre qu'une bonne adaptation dans notre langue le met parfaitement à notre portée, lui garde toute sa saveur, et nous permet d'aborder sans ennui un état d'esprit et des coutumes très éloignées des nôtres.*

Illustration tirée d'une édition de 1870,
Chez E. Bourdin, libraire-éditeur.

Il y avait autrefois un pêcheur fort âgé, et si pauvre, qu'à peine pouvait-il gagner de quoi faire subsister sa femme et trois enfants, dont sa famille était composée. Il allait tous les jours à la pêche de grand matin, et chaque jour il s'était fait une loi de ne jeter ses filets que quatre fois seulement.

Il partit un matin au clair de lune, et se rendit au bord de la mer. Il se déshabilla et jeta ses filets ; et comme il les tirait vers le rivage il sentit d'abord de la résistance. Il crut avoir fait une bonne pêche, et s'en réjouissait déjà en lui-même ; mais un moment après, s'apercevant qu'au lieu de poisson il n'y avait dans ses filets que la carcasse d'un âne, il en eut beaucoup de chagrin...

Quand le pêcheur, affligé d'avoir fait une si mauvaise pêche, eut raccommodé ses filets, que la carcasse de l'âne avait rompus en plusieurs endroits, il les jeta une seconde fois. En les tirant, il sentit encore beaucoup de résistance, ce qui lui fit croire qu'ils étaient remplis de poissons ; mais il n'y trouva qu'un grand panier plein de gravier et de fange. Il en fut dans une extrême affliction.

– O fortune ! s'écria-t-il d'une voix pitoyable, cesse d'être en colère contre moi, et ne persécute point un malheureux qui te prie de l'épargner ! Je suis parti de ma maison pour venir ici chercher ma vie, et tu m'annonces ma mort. Je n'ai pas d'autre métier que celui-ci pour subsister, et malgré tous les soins que j'y apporte, je puis à peine fournir aux plus pressants besoins de ma famille. Mais j'ai tort de me plaindre de toi, tu prends plaisir à maltraiter les honnêtes gens et à laisser de grands hommes dans l'obscurité, tandis que tu favorises les méchants et que tu élèves ceux qui n'ont aucune vertu qui les rende recommandables.

En achevant ces plaintes, il jeta brusquement le panier, et après avoir bien lavé ses filets que la fange avait gâtés, il les jeta pour la troisième fois. Mais il n'amena que des pierres, des coquilles et de l'ordure. On ne saurait expliquer quel fut son désespoir : peu s'en fallut qu'il ne perdît l'esprit. Cependant, comme le jour commençait à paraître, il n'oublia pas de faire sa prière en bon musulman, ensuite il ajouta celle-ci :

– Seigneur, vous savez que je ne jette mes filets que quatre fois chaque jour. Je les ai déjà jetés trois fois sans avoir tiré le moindre fruit de mon travail. Il ne m'en reste plus qu'une ; je vous supplie de me rendre la mer favorable, comme vous l'avez rendue à Moïse.

Le pêcheur, ayant fini cette prière, jeta ses filets pour la quatrième fois. Quand il jugea qu'il devait y avoir du poisson, il les tira comme auparavant avec assez de peine. Il n'y en avait pas pourtant ; mais il y trouva un vase de cuivre jaune, qui, à sa pesanteur, lui parut plein de quelque chose, et il remarqua qu'il était fermé et scellé de plomb, avec l'empreinte d'un sceau. Cela le réjouit :

– Je le vendrai au fondeur, disait-il, et de l'argent que j'en ferai, j'en achèterai une mesure de blé.

Il examina le vase de tous côtés, il le secoua pour voir si ce qui était dedans ne ferait pas de bruit. Il n'entendit rien, et cette circonstance, avec l'empreinte du sceau sur le couvercle de plomb, fit penser qu'il devait être rempli de quelque chose de précieux. Pour s'en éclaircir, il prit son couteau, et, avec un peu de peine, il l'ouvrit. Il en pencha aussitôt l'ouverture contre terre, mais il n'en sortit rien, ce qui le surprit extrêmement. Il le posa devant lui, et pendant qu'il le considérait attentivement, il en sortit une fumée fort épaisse qui l'obligea à reculer deux ou trois pas en arrière.

Cette fumée s'éleva jusqu'aux nues, et, s'étendant sur la mer et sur le rivage, forma un gros brouillard, spectacle qui causa, comme on peut se l'imaginer, un étonnement extraordinaire au pêcheur. Lorsque la fumée fut toute hors du vase, elle se réunit et devint un corps solide, dont il se forma un génie deux fois aussi haut que le plus grand de tous les géants. A l'aspect d'un monstre d'une grandeur si démesurée, le pêcheur voulut prendre la fuite ; mais il se trouva si troublé et si effrayé, qu'il ne put marcher.

– Salomon, s'écria d'abord le génie, Salomon, grand prophète de Dieu, pardon, pardon, jamais je ne m'opposerai à vos volontés. J'obéirai à tous vos commandements...

Le pêcheur n'eut pas sitôt entendu les paroles que le génie avait prononcées, qu'il se rassura et lui dit :

– Esprit superbe, que dites-vous ? Il y a plus de dix-huit cents ans que Salomon, le prophète de Dieu, est mort, et nous sommes présentement à la fin des siècles. Apprenez-moi votre histoire, et pour quel sujet vous étiez renfermé dans ce vase.

A ce discours, le génie, regardant le pêcheur d'un air fier, lui répondit :

– Parle-moi plus civilement : tu es bien hardi de m'appeler esprit superbe.

– Eh bien ! repartit le pêcheur, vous parlerai-je avec plus de civilité en vous appelant hibou du bonheur ?

– Je te dis, repartit le génie, de me parler plus civilement avant que je te tue.

– Eh ! pourquoi me tueriez-vous ? répliqua le pêcheur. Je viens de vous mettre en liberté ; l'avez-vous déjà oublié ?

– Non, je m'en souviens, repartit le génie ; mais cela ne m'empêchera pas de te faire mourir, et je n'ai qu'une seule grâce à t'accorder.

– Et quelle est cette grâce ? dit le pêcheur.

– C'est, répondit le génie, de te laisser choisir de quelle manière tu veux que je te tue.

– Mais en quoi vous ai-je offensé ? reprit le pêcheur. Est-ce ainsi que vous voulez me récompenser du bien que je vous ai fait ?

– Je ne puis te traiter autrement, dit le génie ; et afin que tu en sois persuadé, écoute mon histoire :

Je suis un de ces esprits rebelles qui se sont opposés à la volonté de Dieu. Tous les autres génies reconnurent le grand Salomon, prophète de Dieu, et se soumirent à lui. Nous fûmes les seuls, Sacar et moi, qui ne voulûmes pas faire cette bassesse. Pour s'en venger, ce puissant monarque chargea Assaf, fils de Barakhia, son premier ministre, de me venir prendre. Cela fut exécuté. Assaf vint se saisir de ma personne et me mena malgré moi devant le trône du roi son maître. Salomon, fils de David, me commanda de quitter mon genre de vie, de reconnaître son pouvoir et de me soumettre à ses commandements. Je refusai hautement de lui obéir, et j'aimai mieux m'exposer à tout son ressentiment que de lui prêter le serment de fidélité et de soumission qu'il exigeait de moi. Pour me punir, il m'enferma dans ce vase de cuivre, et afin de s'assurer de moi et que je pusse pas forcer ma prison, il imprima lui-même sur le couvercle de plomb son sceau, où le grand nom de Dieu était gravé. Cela fait, il mit le vase entre les mains d'un des génies qui lui obéissaient, avec ordre de me jeter à la mer ; ce qui fut exécuté à mon grand regret. Durant le premier siècle de ma prison, je jurai que si quelqu'un m'en délivrait avant les cent ans achevés, je le rendrais riche, même après sa mort. Mais le siècle s'écoula, et personne ne me rendit ce bon office. Pendant le second siècle, je fis serment d'ouvrir tous les trésors de la terre à quiconque me mettrait en liberté ; mais je ne fus pas plus heureux. Dans la troisième, je promis de faire puissant monarque mon libérateur, d'être toujours près de lui en esprit, et de lui accorder chaque jour trois demandes, de quelque nature qu'elles pussent être ; mais ce siècle se passa comme les deux autres, et je demeurai toujours dans le même état. Enfin, désolé, ou plutôt enragé de me voir prisonnier si longtemps, je jurai que si quelqu'un me délivrait dans la suite, je le tuerais impitoyablement et ne lui accorderais point d'autre grâce que de lui laisser le choix du genre de mort dont il voudrait que je le fisse mourir : c'est pourquoi, puisque tu es venu ici aujourd'hui, et que tu m'as délivré, choisis comment tu veux que je te tue.

Ce discours affligea fort le pêcheur.

– Je suis bien malheureux, s'écria-t-il, d'être venu en cet endroit rendre un si grand service à un ingrat ! Considérez, de grâce, votre injustice, et révoquez un serment si peu raisonnable. Pardonnez-moi, Dieu vous pardonnera de même : si vous me donnez généreusement la vie, il vous mettra à couvert de tous les complots qui se formeront contre vos jours.

– Non, ta mort est certaine, dit le génie ; choisis seulement de quelle sorte tu veux que je te fasse mourir.

Le pêcheur, le voyant dans la résolution de le tuer, en eut une douleur extrême, non pas tant pour l'amour de lui, qu'à cause de ses trois enfants dont il plaignait la misère où ils allaient être réduits par sa mort. Il tâcha encore d'apaiser le génie.

– Hélas ! reprit-il, daignez avoir pitié de moi, en considération de ce que j'ai fait pour vous.

– Je te l'ai déjà dit, repartit le génie, c'est justement pour cette raison que je suis obligé de t'ôter la vie.

– Cela est étrange, répliqua le pêcheur, que vous vouliez absolument rendre le mal pour le bien. Le proverbe dit que qui fait du bien à celui qui ne le mérite pas en est toujours mal payé. Je croyais, je l'avoue, que cela était faux : en effet, rien ne choque davantage la raison et les droits de la société ; néanmoins, j'éprouve cruellement que cela n'est que trop véritable.

– Ne perdons pas le temps, interrompit le génie ; tous tes raisonnements ne sauraient me détourner de mon dessein. Hâte-toi de dire comment tu souhaites que je te tue.

La nécessité donne de l'esprit. Le pêcheur s'avisa d'un stratagème :

– Puisque je ne saurais éviter la mort, dit-il au génie, je me soumets donc à la volonté de Dieu. Mais avant que je choisisse un genre de mort, je vous conjure, par le grand nom de Dieu, qui était gravé sur le sceau du prophète Salomon, fils de David, de me dire la vérité sur une question que j'ai à vous faire.

Quand le génie vit qu'on lui faisait une adjuration qui le contraignit de répondre positivement, il trembla en lui-même, et dit au pêcheur :

– Demande-moi ce que tu voudras, et hâte-toi.

Le génie, ayant promis de dire la vérité, le pêcheur lui dit :

– Je voudrais savoir si effectivement vous étiez dans ce vase ; oseriez-vous en jurer par le grand nom de Dieu ?

– Oui, répondit le génie, je jure par ce grand nom que j'y étais, et cela est très véritable.

– En bonne foi, répondit le pêcheur, je ne puis vous croire. Ce vase ne pourrait pas seulement contenir un de vos pieds : comment se peut-il que votre corps y ait été renfermé tout entier ?

– Je te jure pourtant, repartit le génie, que j'y étais tel que tu me vois. Est-ce que tu ne me crois pas, après le grand serment que je t'ai fait ?

– Non, vraiment, dit le pêcheur, et je ne vous croirai point, à moins que vous ne me fassiez voir la chose.

Alors il se fit une dissolution du corps du génie, qui, se changeant en fumée s'étendit comme auparavant sur la mer et sur le rivage, et qui, se rassemblant ensuite, commença de rentrer dans le vase, et continua de même par une succession lente et égale, jusqu'à ce qu'il n'en restât plus rien au-dehors. Aussitôt il en sortit une voix qui dit au pêcheur :

– Eh bien ! incrédule pêcheur, me voici dans le vase : me crois-tu présentement ?

Le pêcheur, au lieu de répondre au génie, prit le couvercle de plomb, et ayant fermé promptement le vase :

– Génie, lui cria-t-il, demande-moi grâce à ton tour, et choisis de quelle mort tu veux que je te fasse mourir. Mais non, il vaut mieux que je te rejette à la mer, dans le même endroit d'où je t'ai tiré ; puis je ferais bâtir une maison sur ce rivage, où je demeurerai, pour avertir tous les pêcheurs qui viendront y jeter leurs filets de bien prendre garde de repêcher un méchant génie comme toi qui as fait serment de tuer celui qui te mettra en liberté.

A ces paroles offensantes, le génie, irrité, fit tous ses efforts pour sortir du vase ; mais c'est ce qui ne lui fut pas possible : car l'empreinte du sceau du prophète Salomon, fils de David, l'en empêchait. Aussi, voyant que le pêcheur avait alors l'avantage sur lui, il prit le parti de dissimuler sa colère.

– Pêcheur, lui dit-il d'un ton radouci, garde-toi bien de faire ce que tu dis. Ce que j'en ai fait n'a été que par plaisanterie, et tu ne dois pas prendre la chose sérieusement.

– Ô génie, répondit le pêcheur, toi qui étais, il n'y a qu'un moment, le plus grand, et qui es à cette heure le plus petit de tous les génies, apprends que tes artificieux discours ne te serviront de rien. Tu retourneras à la mer. Si tu y as demeuré tout le temps que tu m'as dit, tu pourras bien y demeurer jusqu'au jour du jugement. Je t'ai prié au nom de Dieu de ne me pas ôter la vie, tu as rejeté mes prières ; je dois te rendre la pareille.

# PERSINETTE

MADAME DE LA FORCE. Née vers 1648-50 près d'Albi, morte en 1724 à Paris.

*La date et le lieu de sa naissance sont assez imprécis. On la fait aussi naître en 1646 au château de Casenove-en-Bazadois, en Gironde.*

*Fille de François de Caumont, marquis de Castel-Moron, Charlotte-Rose de Caumont de la Force devient dame d'honneur de la Dauphine. Passant outre à l'opposition de sa future belle-famille, elle épouse Charles Brion en juin 1687. Dans la quinzaine qui suit, son beau-père fait casser le mariage. Sa vie fut loin d'être exemplaire. Elle participa, selon la rumeur, à bon nombre d'intrigues douteuses qui lui valurent de finir son existence dans un couvent, par ordre du roi.*

*Elle écrivit des poèmes et des romans, ainsi qu'une* Histoire secrète du duc de Bourgogne, *une* Histoire secrète de Marie de Bourgogne, *et une* Histoire secrète de Catherine de Bourbon. *S'abandonnant aux tendances littéraires d'une époque éprise de merveilleux et d'imaginaire, elle publia en 1697* Les fées, contes des contes, *d'où nous avons extrait* Persinette.

Deux jeunes amants s'étaient mariés ensemble, après une longue poursuite de leurs amours ; rien n'était égal à leur ardeur ; ils vivaient contents et heureux, quand pour combler leur félicité, la jeune épouse se trouva grosse, et ce fut une grande joie dans ce petit ménage ; ils souhaitaient fort un enfant, leur désir se trouvait accompli.

Il y avait dans leur voisinage une fée, qui surtout était curieuse d'avoir un beau jardin ; on y voyait avec abondance de toutes sortes de fruits, de plantes et de fleurs.

En ce temps-là le persil était fort rare dans ces contrées ; la fée en avait fait apporter des Indes, et on n'en eût su trouver dans tout le pays que dans son jardin.

La nouvelle épouse eut une grande envie d'en manger ; et comme elle savait bien qu'il était malaisé de la satisfaire, parce que personne n'entrait dans ce jardin, elle tomba dans un chagrin qui la rendit méconnaissable aux yeux mêmes de son époux. Il la tourmenta pour savoir la cause de ce changement prodigieux qui paraissait dans son esprit, aussi bien que sur son corps ; et après lui avoir trop résisté, sa femme lui avoua enfin qu'elle voudrait bien manger du persil. Le mari soupira, et se troubla pour une envie si malaisée à satisfaire : néanmoins, comme rien ne paraît difficile en amour, il allait jour et nuit autour des murs de ce jardin pour tâcher d'y monter ; mais ils étaient d'une hauteur qui rendait la chose impossible.

Enfin, un soir il aperçut une des portes du jardin ouverte. Il s'y glissa doucement, et il fut si heureux, qu'il prit à la hâte une poignée de persil. Il ressortit comme il était entré, et porta son vol à sa femme, qui le mangea avec avidité, et qui deux jours après se trouva plus pressée que jamais de l'envie d'en remanger encore.

Il fallait que dans ce temps-là le persil fût d'un goût bien excellent.

Le pauvre mari retourna ensuite plusieurs fois inutilement. Mais enfin sa persévérance fut récompensée ; il trouva encore la porte du jardin ouverte. Il y entra, et fut bien surpris d'apercevoir la fée elle-même, qui le gronda fort de la hardiesse qu'il avait de venir ainsi dans un lieu dont l'entrée n'était permise à qui que ce fût. Le jeune homme confus se mit à genoux, lui demanda pardon, et lui dit que sa femme se mourrait, si elle ne mangeait pas un peu de persil ; qu'elle était grosse, et que cette envie était bien pardonnable. Eh bien, lui dit la fée, je vous donnerai du persil tout autant que vous en voudrez, si vous me voulez donner l'enfant dont votre femme accouchera.

Le mari, après une courte délibération, le promit ; il prit du persil autant qu'il en voulut.

Quand le temps de l'accouchement fut arrivé, la fée se rendit près de la mère, qui mit au monde une fille, à qui la fée donna le nom de Persinette : elle la reçut dans des langes de toile d'or, et lui arrosa le visage d'une eau précieuse qu'elle avait dans un vase de cristal, qui la rendit, au moment même, la plus belle créature du monde.

Après ces cérémonies de beauté, la fée prit la petite Persinette, l'emporta chez elle, et le fit élever avec tous les soins imaginables. Ce fut une merveille, avant qu'elle eût atteint sa douzième année : et comme la fée connaissait sa fatalité, elle résolut de la dérober à ses destinées.

Pour cet effet elle éleva, par le moyen de ses charmes, une tour d'argent au milieu d'une forêt. Cette mystérieuse tour n'avait point de porte pour y entrer ; il y avait de grands et beaux appartements aussi éclairés que si la lumière du soleil y fût entrée, et qui recevaient le jour par le feu des escarboucles dont toutes ces chambres brillaient. Tout ce qui était nécessaire à la vie s'y trouvait splendidement ; toutes les raretés étaient ramassées dans ce lieu. Persinette n'avait qu'à ouvrir les tiroirs de ses cabinets, elle les trouvait pleins des plus beaux bijoux ; ses garde-robes étaient magnifiques, autant que celles des reines d'Asie, et il n'y avait pas une mode qu'elle ne fût la première à l'avoir. Elle était seule dans ce beau séjour, où elle n'avait rien à désirer que de la compagnie ; à cela près, tous ses désirs étaient prévenus et satisfaits.

Il est inutile de dire qu'à tous ses repas les mets les plus délicats faisaient sa nourriture ; mais j'assurerai que, comme elle ne connaissait que la fée, elle ne s'ennuyait point dans sa solitude ; elle lisait, elle peignait, elle jouait des instruments, et s'amusait à toutes ces choses qu'une fille qui a été parfaitement élevée n'ignore point.

La fée lui ordonna de coucher au haut de la tour, où il avait une seule fenêtre ; et après l'avoir établie dans cette charmante solitude, elle descendit par cette fenêtre, et s'en retourna chez elle.

Persinette se divertit à cent choses différentes dès qu'elle fut seule. Quand elle n'aurait fait que fouiller dans ses cassettes, c'était une assez grande occupation ; combien de gens en voudraient avoir une semblable !

La vue de la fenêtre de la tour était la plus belle vue du monde ; car on voyait la mer d'un côté, et de l'autre cette vaste forêt ; ces deux objets étaient singuliers et charmants. Persinette avait la voix divine, elle se plaisait fort à chanter, et c'était souvent son divertissement, surtout aux heures qu'elle attendait la fée. Elle la venait voir fort souvent ; et quand elle était au bas de la tour, elle avait accoutumé de dire : Persinette, descendez vos cheveux, que je monte.

C'était une des grandes beautés de Persinette que ses cheveux, qui avaient trente aunes de longueur sans l'incommoder. Ils étaient blonds comme fin or, cordonnés avec des rubans de toutes couleurs ; et quand elle entendait la voix de la fée, elle les détachait, les mettait en bas et la fée montait.

Un jour que Persinette était seule à sa fenêtre, elle se mit à chanter le plus joliment du monde.

Un jeune prince chassait dans ce temps-là ; il s'était écarté à la suite d'un cerf ; en entendant ce chant si agréable, il s'en approcha et vit la jeune Persinette ; sa beauté le toucha, sa voix le charma. Il fit vingt fois le tour de cette tour fatale, et n'y voyant point d'entrée, il pensa mourir de douleur ; il avait de l'amour, il avait de l'audace, il eût voulu pouvoir escalader la tour.

Persinette, de son côté, perdit la parole quand elle vit un homme si charmant ; elle le considéra longtemps tout étonnée ; mais tout à coup elle se retira de sa fenêtre, croyant que ce fût quelque monstre, se souvenant d'avoir ouï dire qu'il y en avait qui tuaient par les yeux, et elle avait trouvé les regards de celui-ci très dangereux.

Le prince fut au désespoir de la voir ainsi disparaître ; il s'informa aux habitations les plus voisines de ce que c'était, on lui apprit qu'une fée avait fait bâtir cette tour, et y avait enfermé une jeune fille. Il y rôdait tous les jours ; enfin, il y fut tant qu'il vit arriver la fée, et entendit qu'elle disait : Persinette, descendez vos cheveux, que je monte. Au même instant il remarqua que cette belle personne défaisait les longues tresses de ses cheveux, et que la fée montait par eux : il fut très surpris d'une manière de rendre visite si peu ordinaire.

Le lendemain, quand il crut que l'heure était passée, que la fée avait accoutumé d'entrer dans la tour, il attendit la nuit avec beaucoup d'impatience ; et s'approchant sous la fenêtre, il contrefit admirablement la voix de la fée, et dit : Persinette, descendez vos cheveux que je monte.

La pauvre Persinette, abusée par le son de cette voix, accourut et détacha ses beaux cheveux, le prince y monta ; et quand il fut au haut, et qu'il se vit sur la fenêtre, il pensa tomber en bas, quand il remarqua de si près cette prodigieuse beauté. Néanmoins, rappelant toute son audace naturelle, il sauta dans la chambre ; et se mettant aux pieds de Persinette, il lui embrassa les genoux avec une ardeur qui pouvait la persuader. Elle s'effraya d'abord ; elle cria : un moment après elle trembla, et rien ne fut capable de la rassurer, que quand elle sentit dans son cœur autant d'amour qu'elle en avait mis dans celui du prince. Il lui disait les plus belles choses du monde, à quoi elle ne répondit que par un trouble qui donna de l'espérance au prince. Enfin, devenu plus hardi, il lui proposa de l'épouser sur l'heure : elle y consentit sans savoir presque ce qu'elle faisait ; elle acheva de même toute la cérémonie.

Voilà le prince heureux : Persinette s'accoutume aussi à l'aimer ; ils se voient tous les jours, et peu de temps après elle se trouve grosse. Cet état inconnu l'inquiéta fort, le prince s'en douta, et ne le lui voulut pas expliquer, de peur de l'affliger. Mais la fée l'étant allée voir, ne l'eut pas sitôt considérée qu'elle connut sa maladie. Ah, malheureuse ! lui dit-elle, vous êtes tombée dans une grande faute, vous en serez punie, les destinées ne se peuvent éviter ; et ma prévoyance a été bien vaine. En disant cela elle lui demanda d'un ton impérieux de lui avouer toute son aventure : ce que la pauvre Persinette fit, les yeux trempés de larmes.

Après ce récit, la fée ne parut point touchée de tout l'amour dont Persinette lui racontait des traits si touchants, et la prenant par ses cheveux, elle en coupa les précieux cordons ; après quoi elle la fit descendre, et descendit aussi par la fenêtre. Quand elles furent au bas, elle s'enveloppa avec elle d'un nuage, qui les porta toutes deux au bord de la mer, dans un endroit très solitaire, mais assez agréable. Il y avait des prés, des bois, un ruisseau d'eau douce, une petite hutte, faite de feuillages toujours verts ; et il y avait dedans un lit de jonc marin, et à côté une corbeille, dans laquelle il y avait de certains biscuits, qui étaient assez bons, et qui ne finissaient point. Ce fut en cet endroit que la fée conduisit Persinette, et la laissa, après lui avoir fait des reproches, qui lui parurent cent fois plus cruels que ses propres malheurs.

Ce fut en cet endroit qu'elle donna naissance à un petit prince et à une petite princesse, et ce fut en cet endroit qu'elle les nourrit, et qu'elle eut tout le temps de pleurer son infortune.

Mais la fée ne trouva pas cette vengeance assez pleine, il fallait qu'elle eût en son pouvoir le prince, et qu'elle le punît aussi. Dès qu'elle eut quitté la malheureuse Persinette, elle remonta à la tour, et se mettant à chanter du ton dont chantait Persinette, le prince, trompé par cette voix, et qui revenait pour la voir, lui redemanda ses cheveux, pour monter comme il avait accoutumé : la perfide fée les avait exprès coupés à la belle Persinette, et les lui tendant, le pauvre prince parut à la fenêtre, où il eut bien moins d'étonnement que de douleur de ne trouver pas sa maîtresse. Il la chercha des yeux : Téméraire, lui dit-elle, votre crime est infini, la punition en sera terrible. Mais lui, sans écouter des menaces qui ne regardaient que lui seul : où est Persinette, lui répondit-il ? Elle n'est plus pour vous, répliqua-t-elle. Alors le prince, plus agité des fureurs de sa douleur, que contraint par la puissance de l'art de la fée, se précipita du haut de la tour en bas. Il devait mille fois se briser tout le corps : il tomba sans se faire d'autre mal que celui de perdre la vue.

Il fut très étonné de sentir qu'il ne voyait plus ; il demeura quelque temps au pied de la tour, à gémir et à prononcer cent fois le nom de Persinette.

Il marcha comme il put, en tâtonnant d'abord, ensuite ses pas furent plus assurés ; il fut ainsi, je ne sais combien de temps, sans rencontrer qui que ce fût qui pût l'assister et le conduire : il se nourrissait des herbes et des racines qu'il rencontrait quand la faim le pressait.

Au bout de quelques années, il se trouva un jour plus pressé de ses amours et de ses malheurs qu'à l'ordinaire, il se coucha sous un arbre, et donna toutes ses pensées aux tristes réflexions qu'il faisait. Cette occupation est cruelle à qui pense mériter un meilleur sort ; mais tout à coup il sortit de sa rêverie par le son d'une voix charmante qu'il entendit. Ces premiers sons allèrent jusqu'à son cœur ; ils le pénétrèrent, et y portèrent de doux mouvements, avec lesquels il y avait longtemps qu'il n'avait plus l'habitude. O dieux ! s'écria-t-il, voilà la voix de Persinette.

Il ne se trompait pas ; il était insensiblement arrivé dans son désert. Elle était assise sur la porte de sa cabane, et chantait l'histoire malheureuse de ses amours. Deux enfants qu'elle avait, plus beaux que le jour, se jouaient à quelques pas d'elle ; et s'éloignant un peu, ils arrivèrent jusques auprès de l'arbre sous lequel le prince était couché. Ils ne l'eurent pas plutôt vu, que l'un et l'autre, se jetant à son cou, l'embrassèrent mille fois, en disant à tout moment, c'est mon père. Ils appelèrent leur mère, et firent de tels cris, qu'elle accourut, ne sachant ce que ce pouvait être ; jamais jusques à ce moment-là sa solitude n'avait été troublée par aucun accident.

Quelle fut sa surprise et sa joie, quand elle reconnut son cher époux ? C'est ce qu'il n'est pas possible d'exprimer. Elle fit un cri perçant auprès de lui ; son saisissement fut si sensible, que par un effet bien naturel elle versa un torrent de larmes ; Mais ô merveille ! à peine ses larmes précieuses furent-elles tombées sur les yeux du prince, qu'ils reprirent incontinent toute leur lumière ; il vit clair comme il faisait autrefois, et il reçut cette faveur par la tendresse de la passionnée Persinette, qu'il prit entre ses bras, et à qui il fit mille fois plus de caresses qu'il ne lui en avait jamais fait.

C'était un spectacle bien touchant de voir ce beau prince, cette charmante princesse, et ces aimables enfants dans une joie et une tendresse qui les transportaient hors d'eux-mêmes.

Le reste du jour s'écoula ainsi dans ce plaisir ; mais le soir était venu, cette petite famille eut besoin d'un peu de nourriture. Le prince croyant prendre du biscuit, il se convertit en pierre : il fut épouvanté de ce prodige et soupira de douleur ; les pauvres enfants pleurèrent ; la désolée mère voulut au moins leur donner un peu d'eau, mais elle se changea en cristal.

Quelle nuit ! Ils la passèrent assez mal ; ils crurent cent fois qu'elle serait éternelle pour eux.

Dès que le jour parut ils se levèrent, et résolurent de cueillir quelques herbes ; mais, quoi ! elles se transformaient en crapauds, en bêtes venimeuses ; les oiseaux les plus innocents devinrent dragons, des harpies qui volaient autour d'eux, et dont la vue causait de la terreur. C'en est donc fait, s'écria le prince ; ma chère Persinette, je ne vous ai trouvée que pour vous perdre d'une manière plus terrible. Mourons, mon cher prince, répondit-elle en l'embrassant tendrement, et faisons envier à nos ennemis même la douceur de notre mort.

Leurs pauvres petits enfants étaient entre leurs bras, dans une défaillance qui les mettait à deux doigts de la mort. Qui n'aurait pas été touché de voir ainsi mourante cette déplorable famille ? aussi se fit-il pour eux un miracle favorable. La fée fut attendrie ; et rappelant dans cet instant toute la tendresse qu'elle avait sentie autrefois pour l'aimable Persinette, elle se transporta dans le lieu où ils étaient : elle parut dans un char brillant d'or et de pierreries ; elle les y fit monter, se plaçant au milieu de ces amants fortunés ; et mettant à leurs pieds leurs agréables enfants, sur des carreaux magnifiques, elle les conduisit de la sorte jusqu'au palais du roi, père du prince. Ce fut là que l'allégresse fut excessive ; on reçut comme un dieu ce beau prince, que l'on croyait perdu depuis si longtemps ; et il se trouva si satisfait de se voir dans le repos, après avoir été si agité de l'orage, que rien au monde ne fut comparable à la félicité dans laquelle il vécut avec sa parfaite épouse.

Tendres époux, apprenez par ceux-ci,
Qu'il est avantageux d'être toujours fidèles ;
Les peines, les travaux, le plus cuisant souci,
Tout enfin se trouve adouci,
Quand les ardeurs sont mutuelles :
On brave la fortune, on surmonte le sort,
Tant que deux époux sont d'accord.

# L'OISEAU BLEU

MADAME D'AULNOY. Née vers 1650 à Barneville, près de Honfleur, morte à Paris le 14 janvier 1705.

*Marie Catherine Le Jumel de Barneville, baronne d'Aulnoy, appartenait à l'une des plus grandes familles de Normandie. A quinze ans, on lui fit épouser François de la Motte, quarante six ans, grossier, brutal et joueur, valet de pied du duc de Vendôme. De leur union naquirent cinq enfants. Après une existence mouvementée, elle acheva sa vie dans un couvent parisien.*

*Elle publia de nombreux ouvrages, dont une* Relation du voyage en Espagne *qui retint l'attention de Sainte-Beuve et fut consulté, dit-on, par Victor Hugo lorsqu'il entreprit d'écrire* Ruy Blas.

*C'est en 1697 et 1698 qu'elle fit paraître huit tomes de* contes de fées : *dans la seconde moitié du XVII^e siècle, le conte était devenu un jeu de salons fort à la mode, auquel Colbert lui-même portait intérêt.*

L'oiseau bleu *est sans doute le plus célèbre des contes de Mme d'Aulnoy. Il prend sa source dans le* lai d'Yonec *écrit au Moyen Age par Marie de France.*

*Illustration :* J. Gould.

Il était une fois un roi fort riche en terres et en argent ; sa femme mourut, il en fut inconsolable. Il s'enferma huit jours entiers dans un petit cabinet, où il se cassait la tête contre les murs, tant il était affligé. On craignit qu'il ne se tuât : on mit des matelas entre la tapisserie et la muraille ; de sorte qu'il avait beau se frapper, il ne se faisait plus de mal. Tous ses sujets résolurent entre eux de l'aller voir, et de lui dire ce qu'ils pourraient de plus propre à soulager sa tristesse. Les uns préparaient des discours graves et sérieux, d'autres d'agréables, et même de réjouissants ; mais cela ne faisait aucune impression sur son esprit, à peine entendait-il ce qu'on lui disait. Enfin il se présenta devant lui une femme si couverte de crêpes noirs, de voiles, de mantes, de longs habits de deuil, et qui pleurait et sanglotait si fort et si haut, qu'il en demeura surpris. Elle lui dit qu'elle n'entreprenait point comme les autres de diminuer sa douleur, qu'elle venait pour l'augmenter, parce que rien n'était plus juste que de pleurer une bonne femme ; que pour elle, qui avait eu le meilleur de tous les maris, elle faisait bien son compte de pleurer tant qu'il lui resterait des yeux à la tête. Là-dessus elle redoubla ses cris, et le roi à son exemple se mit à hurler.

Il la reçut mieux que les autres ; il l'entretint des belles qualités de sa chère défunte, et elle renchérit sur celles de son cher défunt : ils causèrent tant et tant, qu'ils ne savaient plus que dire sur leur douleur. Quand la fine veuve vit la matière presque épuisée, elle leva un peu ses voiles, et le roi affligé se recréa la vue à regarder cette pauvre affligée, qui tournait et retournait fort à propos deux grands yeux bleus, bordés de longues paupières noires : son teint était assez fleuri. Le roi la considéra avec beaucoup d'attention ; peu à peu il parla moins de sa femme, puis il n'en parla plus du tout. La veuve disait qu'elle voulait toujours pleurer son mari, le roi la pria de ne point immortaliser son chagrin. Pour conclusion, l'on fut tout étonné qu'il l'épousa, et que le noir se changea en vert et en couleur de rose : il suffit très souvent de connaître le faible des gens pour entrer dans leur cœur, et pour en faire tout ce que l'on veut.

Le roi n'avait eu qu'une fille de son premier mariage, qui passait pour la huitième merveille du monde ; on la nommait Florine, parce qu'elle ressemblait à Flore, tant elle était fraîche, jeune et belle. On ne lui voyait guère d'habits magnifiques ; elle aimait les robes de taffetas volant, avec quelques agrafes de pierreries, et force guirlandes de fleurs, qui faisaient un effet admirable quand elles étaient placées dans ses beaux cheveux. Elle n'avait que quinze ans lorsque le roi se remaria.

La nouvelle reine envoya quérir sa fille, qui avait été nourrie chez sa marraine la fée Soussio ; mais elle n'en était ni plus gracieuse, ni plus belle : Soussio y avait voulu travailler, et n'avait rien gagné ; elle ne laissait pas de l'aimer chèrement ; on l'appelait Truitonne, car son visage avait autant de taches de rousseur qu'une truite ; ses cheveux noirs étaient si gras et si crasseux, que l'on n'y pouvait toucher, et sa peau jaune distillait de l'huile. La reine ne laissait pas de l'aimer à la folie, elle ne parlait que de la charmante Truitonne ; et, comme Florine avait toutes sortes d'avantages au-dessus d'elle, la reine s'en désespérait ; elle cherchait tous les moyens possibles de la mettre mal auprès du roi, il n'y avait point de jour que la reine et Truitonne ne fissent quelque pièce à Florine. La princesse, qui était douce et spirituelle, tâchait de se mettre au-dessus de ce mauvais procédé.

Le roi dit un jour à la reine, que Florine et Truitonne étaient assez grandes pour être mariées, et que le premier prince qui viendrait à la cour, il fallait faire en sorte de lui donner l'une des deux. Je prétends, répliqua la reine, que ma fille soit la première établie ; elle est plus âgée que la vôtre, et comme elle est mille fois plus aimable, il n'y a point à balancer là-dessus. Le roi, qui n'aimait point la dispute, lui dit qu'il le voulait bien, et qu'il l'en faisait la maîtresse.

A quelque temps de là l'on apprit que le roi Charmant devait arriver. Jamais prince n'a porté plus loin la galanterie et la magnificence : son esprit et sa personne n'avaient rien qui ne répondît à son nom. Quand la reine sut ces nouvelles, elle employa tous les brodeurs, tous les tailleurs, et tous les ouvriers à faire des ajustements à Truitonne : elle pria le roi que Florine n'eût rien de neuf ; et ayant gagné ses femmes, elle lui fit voler tous ses habits, toutes ses coiffures et toutes ses pierreries le jour même que Charmant arriva ; de sorte que lorsqu'elle se voulut parer, elle ne trouva pas un ruban. Elle vit bien d'où lui venait ce bon office ; elle envoya chez les marchands pour avoir des étoffes : ils répondirent que la reine avait défendu qu'on lui en donnât ; elle demeura donc avec une petite robe fort crasseuse, et sa honte était si grande, qu'elle se mit dans le coin de la salle lorsque le roi Charmant arriva.

La reine le reçut avec de grandes cérémonies ; elle lui présenta sa fille plus brillante que le soleil, et plus laide par toutes ses parures qu'elle ne l'était ordinairement. Le roi en détourna les yeux ; la reine voulait se persuader qu'elle lui plaisait trop, et qu'il craignait de s'engager ; de sorte qu'elle la faisait toujours mettre devant lui. Il demanda s'il n'y avait pas encore une autre princesse appelée Florine ? Oui, dit Truitonne, en la montrant avec le doigt ; la voilà qui se cache, parce qu'elle n'est pas brave. Florine rougit, et devint si belle, si belle, que le roi Charmant demeura comme un homme ébloui. Il se leva promptement, et fit une profonde révérence à la princesse : Madame, lui dit-il, votre incomparable beauté vous pare trop, pour que vous ayez besoin d'aucun secours étranger. Seigneur, répliqua-t-elle, je vous avoue que je suis peu accoutumée à porter un habit aussi malpropre que l'est celui-ci ; et vous m'auriez fait plaisir de ne vous pas apercevoir de moi. Il serait impossible, s'écria Charmant, qu'une si merveilleuse princesse pût être en quelque lieu, et que l'on eût des yeux pour d'autres que pour elle. Ah ! dit la reine irritée, je passe bien mon temps à vous entendre ; croyez-moi, seigneur, Florine est déjà assez coquette, elle n'a pas besoin qu'on lui dise tant de galanteries. Le roi Charmant démêla aussitôt les motifs qui faisaient ainsi parler la reine ; mais comme il n'était pas de condition à se contraindre, il laissa paraître toute son admiration pour Florine, et l'entretint trois heures de suite.

La reine au désespoir, et Truitonne inconsolable de n'avoir pas la préférence sur la princesse, firent de grandes plaintes au roi, et l'obligèrent de consentir que pendant le séjour du roi Charmant, l'on enfermerait Florine dans une tour, où ils ne se verraient point. En effet, aussitôt qu'elle fut retournée dans sa chambre, quatre hommes masqués la portèrent au haut de la tour, et l'y laissèrent dans la dernière désolation ; car elle vit bien que l'on n'en usait ainsi que pour l'empêcher de plaire au roi, qui lui plaisait déjà fort, et qu'elle aurait bien voulu pour époux.

Comme il ne savait pas les violences que l'on venait de faire à la princesse, il attendit l'heure de la revoir avec mille impatiences ; il voulut parler d'elle à ceux que le roi avait mis auprès de lui pour lui faire plus d'honneur ; mais par l'ordre de la reine, ils lui en dirent tout le mal qu'ils purent ; qu'elle était coquette, inégale, de méchante humeur ; qu'elle tourmentait ses amis et ses domestiques ; qu'on ne pouvait être plus malpropre, et qu'elle poussait si loin l'avarice, qu'elle aimait mieux être habillée comme une petite bergère, que d'acheter de riches étoffes de l'argent que lui donnait le roi son père. A tout ce détail, Charmant souffrait et se sentait des mouvements de colère qu'il avait bien de la peine à modérer. Non, disait-il en lui-même, il est impossible que le ciel ait mis une âme si mal faite dans le chef-d'œuvre de la nature : je conviens qu'elle n'était pas proprement mise quand je l'ai vue ; mais la honte qu'elle en avait prouve assez qu'elle n'est point accoutumée à se voir ainsi. Quoi ! elle serait mauvaise avec cet air de modestie et de douceur qui enchante ? Ce n'est pas une chose qui me tombe sous le sens ; il m'est bien plus aisé de croire que c'est la reine qui la décrie ainsi : l'on n'est pas belle-mère pour rien ; et la princesse Truitonne est une si laide bête qu'il ne serait point extraordinaire qu'elle portât envie à la plus parfaite de toutes les créatures.

Pendant qu'il raisonnait là-dessus, les courtisans qui l'environnaient devinaient bien à son air qu'ils ne lui avaient pas fait plaisir de parler mal de Florine. Il y en eut un plus adroit que les autres qui, changeant de ton et de langage pour connaître les sentiments du prince, se mit à dire des merveilles de la princesse. A ces mots, il se réveilla comme d'un profond sommeil, il entra dans la conversation, la joie se répandit sur son visage : amour, amour, que l'on te cache difficilement ! Tu parais partout, sur les lèvres d'un amant, dans ses yeux, au son de sa voix : lorsque l'on aime, le silence, la conversation, la joie ou la tristesse, tout parle de ce qu'on ressent.

La reine, impatiente de savoir si le roi Charmant était bien touché, envoya quérir ceux qu'elle avait mis dans sa confidence, et elle passa le reste de la nuit à les questionner : tout ce qu'ils lui disaient ne servait qu'à confirmer l'opinion où elle était, que le roi aimait Florine. Mais que vous dirai-je de la mélancolie de cette pauvre princesse ? Elle était couchée par terre dans le donjon de cette terrible tour, où les hommes masqués l'avaient emportée. Je serais moins à plaindre, disait-elle, si l'on m'avait mise ici avant que j'eusse vu cet aimable roi : l'idée que j'en conserve ne peut servir qu'à augmenter mes peines. Je ne dois pas douter que c'est pour m'empêcher de le voir davantage, que la reine me traite si cruellement. Hélas ! que le peu de beauté dont le Ciel m'a pourvue, coûtera cher à mon repos ! Elle pleurait ensuite si amèrement, si amèrement, que sa propre ennemie en aurait eu pitié, si elle avait été témoin de ses douleurs.

C'est ainsi que cette nuit se passa. La reine qui voulait engager le roi Charmant par tous les témoignages qu'elle pourrait lui donner de son attention, lui envoya des habits d'une richesse et d'une magnificence sans pareilles, faits à la mode du pays, et l'ordre des chevaliers d'amour, qu'elle avait obligé le roi d'instituer le jour de leurs noces. C'était un cœur d'or émaillé de couleur de feu, entouré de plusieurs flèches, et percé d'une, avec ces mots : *Une seule me blesse.* La reine avait fait tailler pour Charmant un cœur d'un rubis gros comme un œuf d'autruche ; chaque flèche était d'un seul diamant, longue comme le doigt ; et la chaîne où ce cœur tenait était faite de perles, dont la plus petite pesait une livre ; enfin depuis que le monde est monde, il n'avait rien paru de tel.

Le roi, à cette vue demeura si surpris qu'il fut quelque temps sans parler : on lui présenta en même temps un livre, dont les feuilles étaient de vélin, avec des miniatures admirables ; la couverture d'or, chargée de pierreries, et les statuts de l'ordre des chevaliers d'amour y étaient écrits d'un style fort tendre et fort galant. L'on dit au roi que la princesse qu'il avait vue le priait d'être son chevalier, et qu'elle lui envoyait ce présent. A ces mots, il osa se flatter que c'était celle qu'il aimait. Quoi ! la belle princesse Florine, s'écria-t-il, pense à moi d'une manière si généreuse et si engageante ? Seigneur, lui dit-on, vous vous méprenez au nom ; nous venons de la part de l'aimable Truitonne. C'est Truitonne qui me veut pour son chevalier, dit le roi d'un air froid et sérieux, je suis fâché de ne pouvoir accepter cet honneur ; mais un souverain n'est pas assez maître de lui pour prendre les engagements qu'il voudrait. Je sais ceux d'un chevalier, je voudrais les remplir tous ; et j'aime mieux ne pas recevoir la grâce qu'elle m'offre, que de m'en rendre indigne. Il remit aussitôt le cœur, la chaîne et le livre dans la même corbeille ; puis il envoya tout chez la reine, qui pensa étouffer de rage avec sa fille, de la manière méprisante dont le roi étranger avait reçu une faveur si particulière.

Lorsqu'il put aller chez le roi et la reine, il se rendit dans leur appartement : il espérait que Florine y serait ; il regardait de tous côtés pour la voir. Dès qu'il entendait entrer quelqu'un dans la chambre, il tournait la tête brusquement vers la porte ; il paraissait inquiet et chagrin. La malicieuse reine devinait assez ce qui se passait dans son âme, mais elle n'en faisait pas semblant. Elle ne lui parlait que de parties de plaisir ; il lui répondait tout de travers ; enfin il demanda où était la princesse Florine. Seigneur, lui dit fièrement la reine, le roi son père, a défendu qu'elle sorte de chez elle, jusqu'à ce que ma fille soit mariée. Et quelle raison, répliqua le roi, peut-on avoir de tenir cette belle personne prisonnière ? Je l'ignore, dit la reine ; et quand je le saurais, je pourrais me dispenser de vous le dire. Le roi se sentait dans une colère inconcevable ; il regardait Truitonne de travers, et songeait en lui-même que c'était à cause de ce petit monstre, qu'on lui dérobait le plaisir de voir la princesse. Il quitta promptement la reine : sa présence lui causait trop de peine.

Quand il fut revenu dans sa chambre, il dit à un jeune prince qui l'avait accompagné, et qu'il aimait fort, de donner tout ce qu'on voudrait au monde pour gagner quelqu'une des femmes de la princesse, afin qu'il pût lui parler un moment. Ce prince trouva aisément des dames du palais qui entrèrent dans la confidence ; il y en eut une qui l'assura que le soir même Florine serait à une petite fenêtre basse qui répondait sur le jardin, et que par là elle pourrait lui parler, pourvu qu'il prît de grandes précautions afin qu'on ne le sût pas ; car, ajouta-t-elle, le roi et la reine sont si sévères, qu'ils me feraient mourir s'ils découvraient que j'eusse favorisé la passion de Charmant. Le prince, ravi d'avoir amené l'affaire jusque-là, lui promit tout ce qu'elle voulait, et courut faire sa cour au roi, en lui annonçant l'heure du rendez-vous. Mais la mauvaise confidente ne manqua pas d'aller avertir la reine de ce qui se passait, et de prendre ses ordres. Aussitôt elle pensa qu'il fallait envoyer sa fille à la petite fenêtre : elle l'instruisit bien, et Truitonne ne manqua à rien, quoiqu'elle fût naturellement une grande bête.

La nuit était si noire, qu'il aurait été impossible au roi de s'apercevoir de la tromperie qu'on lui faisait, quand bien même il n'aurait pas été aussi prévenu qu'il l'était, de sorte qu'il s'approcha de la fenêtre avec des transports de joie inexprimables : il dit à Truitonne tout ce qu'il aurait dit à Florine, pour la persuader de sa passion. Truitonne, profitant de la conjoncture, lui dit qu'elle se trouvait la plus malheureuse personne du monde d'avoir une belle-mère si cruelle, et qu'elle aurait toujours à souffrir jusqu'à ce que sa fille fût mariée. Le roi l'assura que, si elle le voulait pour son époux, il serait ravi de partager avec elle sa couronne et son cœur ; là-dessus il tira sa bague de son doigt, et la mettant à celui de Truitonne, il ajouta que c'était un gage éternel de sa foi, et qu'elle n'avait qu'à prendre l'heure pour partir en diligence. Truitonne répondit le mieux qu'elle put à ses empressements : il s'apercevait bien qu'elle ne disait rien qui vaille ; et cela lui aurait fait de la peine, sans qu'il se persuadât que la crainte d'être surprise par la reine, lui ôtait la liberté de son esprit : il ne la quitta qu'à condition de revenir le lendemain à pareille heure ; ce qu'elle lui promit de tout son cœur.

La reine ayant su l'heureux succès de cette entrevue, elle s'en promit tout. Et en effet, le jour étant concerté, le roi vint la prendre dans une chaise volante, traînée par des grenouilles ailées : un enchanteur de ses amis lui avait fait ce présent. La nuit était fort noire ; Truitonne sortit mystérieusement par une petite porte, et le roi qui l'attendait, la reçut entre ses bras, et lui jura cent fois une fidélité éternelle. Mais, comme il n'était pas d'humeur à voler longtemps dans sa chaise volante, sans épouser la princesse qu'il aimait, il lui demanda où elle voulait que les noces se fissent. Elle lui dit qu'elle avait pour marraine une fée, qu'on nommait Soussio, qui était fort célèbre ; qu'elle était d'avis d'aller à son château. Quoique le roi ne sût pas le chemin, il n'eut qu'à dire à ses grosses grenouilles de l'y conduire, elles connaissaient la carte générale de l'univers, et en peu de temps elles rendirent le roi et Truitonne chez Soussio.

Le château était si bien éclairé qu'en arrivant le roi aurait connu son erreur, si la princesse ne s'était soigneusement couverte de son voile. Elle demanda sa marraine ; elle lui parla en particulier, et lui conta comme quoi elle avait attrapé Charmant, et qu'elle la priait de l'apaiser. Ah ! ma fille, dit la fée, la chose ne sera pas facile ; il aime trop Florine : je suis certaine qu'il va nous faire désespérer. Cependant le roi les attendait dans une salle, dont les murs étaient de diamant si clair et si net, qu'il vit au travers Soussio et Truitonne causer ensemble. Il croyait rêver. Quoi ! disait-il, ai-je été trahi ? Les démons ont-ils apporté cette ennemie de notre repos ? Vient-elle pour troubler mon mariage ? Ma chère Florine ne paraît point ! son père l'a peut-être suivie ! Il pensait mille chose qui commençaient à le désoler. Mais ce fut bien pis quand elles entrèrent dans la salle, et que Soussio lui dit d'un ton absolu : Roi Charmant, voici la princesse Truitonne, à laquelle vous avez donné votre foi ; elle est ma filleule, et je souhaite que vous l'épousiez tout à l'heure. Moi, s'écria-t-il, moi, j'épouserais ce petit monstre ! Vous me croyez d'un naturel bien docile quand vous me faites de telles propositions : sachez que je ne lui ai rien promis ; si elle dit autrement, elle en a... N'achevez pas, interrompit Soussio, et ne soyez jamais assez hardi pour me manquer de respect. Je consens, répliqua le roi, de vous respecter autant qu'une fée est respectable, pourvu que vous me rendiez ma princesse. Est-ce que je ne la suis pas, parjure ? dit Truitonne en lui montrant sa bague. A qui as-tu donné cet anneau pour gage de ta foi ? A qui as tu parlé à la petite fenêtre, si ce n'est à quoi ? Comment donc reprit-il, j'ai été déçu et trompé ? Non, non, je n'en serai point la dupe : Allons, allons, mes grenouilles, mes grenouilles, je veux partir tout à l'heure.

Oh ! ce n'est pas une chose en votre pouvoir, si je n'y consens, dit Soussio ; elle le toucha, et ses pieds s'attachèrent au parquet, comme si on les y avait cloués. Quand vous me lapideriez, lui dit le roi, quand vous m'écorcheriez, je ne serai point à une autre qu'à Florine ; j'y suis résolu, et vous pouvez après cela user de votre pouvoir à votre gré. Soussio employa la douceur, les menaces, les promesses, les prières. Truitonne pleura, cria, gémit, se fâcha, s'apaisa. Le roi ne disait pas un mot, et les regardant toutes deux avec l'air du monde le plus indigné, il ne répondait rien à tous leurs verbiages.

Il se passa ainsi vingt jours et vingt nuits, sans qu'elles cessassent de parler, sans manger, sans dormir et sans s'asseoir. Enfin Soussio, à bout et fatiguée, dit au roi : Oh bien, vous êtes un opiniâtre qui ne voulez pas entendre raison ; choisissez, ou d'être sept ans en pénitence, pour avoir donné votre parole sans la tenir, ou d'épouser ma filleule. Le roi, qui avait gardé un profond silence, s'écria tout à coup : Faites de moi tout ce que vous voudrez, pourvu que je sois délivré de cette maussade. Maussade vous-même, dit Truitonne en colère ; je vous trouve un plaisant roitelet, avec votre équipage marécageux, de venir jusqu'en mon pays me dire des injures, et manquer à votre parole : si vous aviez pour quatre deniers d'honneur, en useriez-vous ainsi ? Voilà des reproches touchants, dit le roi d'un ton railleur. Voyez-vous qu'on a tort de ne pas prendre une si belle personne pour sa femme ! Non, non, elle ne la sera pas, s'écria Soussio en colère, tu n'as qu'à t'envoler par cette fenêtre, si tu veux, car tu seras sept ans oiseau bleu.

En même temps le roi change de figure ; ses bras se couvrent de plumes, et forment des ailes ; ses jambes et ses pieds deviennent noirs et menus ; il lui croît des ongles crochus, son corps s'appetisse ; il est tout garni de longues plumes fines et déliées de bleu céleste ; ses yeux s'arrondissent, et brillent comme des soleils ; son nez n'est plus qu'un bec d'ivoire, il s'élève sur sa tête une aigrette blanche qui forme une couronne, il chante à ravir et parle de même. En cet état il jette un cri douloureux de se voir ainsi métamorphosé, et s'envole à tire-d'aile, pour fuir le funeste palais de Soussio.

Dans la mélancolie qui l'accable, il voltige de branche en branche, et ne choisit que les arbres consacrés à l'amour ou à la tristesse, tantôt sur les cyprès ; il chante des airs pitoyables, où il déplore sa mauvaise fortune et celle de Florine. En quel lieu ses ennemis l'ont-ils cachée, disait-il ? Qu'est devenue cette belle victime ? La barbarie de la reine la laisse-t-elle encore respirer ? Où la chercherai-je ? Suis-je condamné à passer sept ans sans elle ? Peut-être que pendant ce temps on la mariera, et que je perdrai pour jamais l'espérance qui soutient ma vie. Ces différentes pensées affligeaient l'oiseau bleu à tel point qu'il voulait se laisser mourir.

D'un autre côté, la fée Soussio renvoya Truitonne à la reine, qui était bien inquiète comment les noces se seraient passées. Mais, quand elle vit sa fille, et qu'elle lui raconta tout ce qui venait d'arriver, elle se mit dans une colère terrible, dont le contrecoup retomba sur la pauvre Florine. Il faut, dit-elle, qu'elle se repente plus d'une fois d'avoir su plaire à Charmant. Elle monta dans la tour avec Truitonne, qu'elle avait parée de ses plus riches habits : elle portait une couronne de diamants sur sa tête, et trois filles des plus riches barons de l'État tenaient la queue de son manteau royal ; elle avait au pouce l'anneau du roi Charmant, que Florine remarqua le jour qu'ils parlèrent ensemble : elle fut étrangement surprise de voir Truitonne dans un si pompeux appareil. Voilà ma fille qui vient vous apporter des présents de sa noce, dit la reine ; le roi Charmant l'a épousée : il l'aime à la folie ; il n'a jamais été des gens plus satisfaits. Aussitôt on étale devant la princesse des étoffes d'or et d'argent, des pierreries, des dentelles, des rubans, qui étaient dans de grandes corbeilles de filigrane d'or. En lui présentant toutes ces choses, Truitonne ne manquait pas de faire briller l'anneau du roi ; de sorte que la princesse Florine ne pouvant plus douter de son malheur, elle s'écria, d'un air désespéré, qu'on ôtât de ses yeux tous ces présents si funestes ; qu'elle ne voulait plus porter que du noir, ou plutôt qu'elle voulait présentement mourir. Elle s'évanouit, et la cruelle reine, ravie d'avoir si bien réussi, ne permit pas qu'on la secourût : elle la laissa seule dans le plus déplorable état du monde, et fut conter malicieusement au roi que sa fille était si transportée de tendresse, que rien n'égalait les extravagances qu'elle faisait ; qu'il fallait bien se donner de garde de la laisser sortir de la tour. Le roi lui dit qu'elle pouvait gouverner cette affaire à sa fantaisie, et qu'il en serait toujours satisfait.

Lorsque la princesse revint de son évanouissement, et qu'elle réfléchit sur la conduite qu'on tenait avec elle, aux mauvais traitements qu'elle recevait de son indigne marâtre, et à l'espérance qu'elle perdait pour jamais d'épouser le roi Charmant, sa douleur devint si vive qu'elle pleura toute la nuit ; en cet état elle se mit à la fenêtre, où elle fit des regrets fort tendres et fort touchants. Quand le jour approcha, elle la ferma, et continua de pleurer.

La nuit suivante elle ouvrit la fenêtre, elle poussa de profonds soupirs et des sanglots, elle versa un torrent de larmes : le jour vint ; elle se cacha dans sa chambre. Cependant le roi Charmant, ou, pour mieux dire le bel oiseau bleu, ne cessait point de voltiger autour du palais : il jugeait que sa chère princesse y était renfermée, et si elle faisait de tristes plaintes, les siennes ne l'étaient pas moins : il s'approchait des fenêtres le plus qu'il pouvait, pour regarder dans les chambres ; mais la crainte que Truitonne ne l'aperçût, et ne se doutât que c'était lui, l'empêchait de faire ce qu'il aurait voulu. Il y va de ma vie, disait-il en lui-même ; si ces mauvaises princesses découvraient où je suis, elles voudraient se venger ; il faudrait que je m'éloignasse, ou que je fusse exposé aux derniers dangers. Ces raisons l'obligèrent à garder de grandes mesures, et d'ordinaire il ne chantait que la nuit.

Il y avait, vis-à-vis de la fenêtre où Florine se mettait, un cyprès d'une hauteur prodigieuse, l'oiseau bleu vint s'y percher. Il y fut à peine, qu'il entendit une personne qui se plaignait : Souffrirai-je encore longtemps disait-elle ? La mort ne viendra-t-elle point à mon secours ? Ceux qui la craignent, ne la voient que trop tôt ; je la désire, et la cruelle me fuit. Ah ! barbare reine, que t'ai-je fait pour me retenir dans une captivité si affreuse ? N'as-tu pas assez d'autres endroits pour me désoler ? Tu n'as qu'à me rendre témoin du bonheur que ton indigne fille goûte avec le roi Charmant ? L'oiseau bleu n'avait pas perdu un mot de cette plainte, il en demeura bien surpris, et il attendait le jour avec la dernière impatience, pour voir la dame affligée ; mais, avant qu'il vînt, elle avait fermé la fenêtre, et s'était retirée.

L'oiseau curieux ne manqua pas de revenir la nuit suivante ; il faisait clair de lune ; il vit une fille à la fenêtre de la tour qui commençait ses regrets : Fortune, disait-elle, toi qui me flattais de régner, toi qui m'avais rendu l'amour de mon père ; que t'ai-je fait pour me plonger tout d'un coup dans les plus amères douleurs ? Est-ce dans un âge aussi tendre que le mien qu'on doit commencer à ressentir ton inconstance ? Reviens, barbare, reviens s'il est possible ; je te demande, pour toute faveur, de terminer ma fatale destinée. L'oiseau bleu écoutait ; et plus il écoutait, plus il se persuadait que c'était son aimable princesse qui se plaignait. Il lui dit : Adorable Florine, merveille de nos jours ! pourquoi voulez-vous finir si promptement les vôtres ? Vos maux ne sont point sans remède. Hé ! qui me parle, s'écria-t-elle, d'une manière si consolante ? Un roi malheureux, reprit l'oiseau, qui vous aime, et n'aimera jamais que vous. Un roi qui m'aime, ajouta-t-elle ! Est-ce ici un piège que me tend mon ennemie ? Mais, au fond, qu'y gagnera-t-elle ? Si elle cherche à découvrir mes sentiments, je suis prête à lui en faire l'aveu. Non, ma princesse, répondit-il, l'amant qui vous parle n'est point capable de vous trahir. En achevant ces mots il vola sur la fenêtre. Florine eut d'abord grande peur d'un oiseau si extraordinaire, qui parlait avec autant d'esprit que s'il avait été homme, quoiqu'il conservât le petit son de voix d'un rossignol ; mais la beauté de son plumage et ce qu'il lui dit la rassura. M'est-il permis de vous revoir, ma princesse, s'écria-t-il ? Puis-je goûter un bonheur si parfait sans mourir de joie ? Mais, hélas ! que cette joie est troublée par votre captivité et l'état où la méchante Soussio m'a réduit pour sept ans ! Et qui êtes-vous, charmant oiseau, dit la princesse, en le caressant ? Vous avez dit mon nom, ajouta le roi, et vous feignez de ne me pas connaître. Quoi ! le plus grand roi du monde ! Quoi ! le roi Charmant, dit la princesse, serait le petit oiseau que je tiens ? Hélas ! belle Florine, il n'est que trop vrai, reprit-il ; et, si quelque chose m'en peut consoler, c'est que j'ai préféré cette peine à celle de renoncer à la passion que j'ai pour vous. Pour moi, dit Florine ! Ah ! ne cherchez point à me tromper ! Je sais, je sais que vous avez épousé Truitonne ; j'ai reconnu votre anneau à son doigt, je l'ai vue toute brillante des diamants que vous lui avez donnés : elle est venue m'insulter dans ma triste prison, chargée d'une riche couronne et d'un manteau royal, qu'elle tenait de votre main, pendant que j'étais chargée de chaînes et de fers.

Vous avez vu Truitonne en cet équipage, interrompit le roi ; sa mère et elle ont osé vous dire que ces joyaux venaient de moi ? O Ciel ! est-il possible que j'entende des mensonges si affreux, et que je ne puisse m'en venger aussitôt que je le souhaite ! Sachez qu'elles ont voulu me décevoir ; qu'abusant de votre nom, elles m'ont engagé d'enlever cette laide Truitonne ; mais, aussitôt que je connus mon erreur, je voulus l'abandonner, et je choisis enfin d'être oiseau bleu sept ans de suite plutôt que de manquer à la fidélité que je vous ai vouée.

Florine avait un plaisir si sensible d'entendre parler son aimable amant, qu'elle ne se souvenait plus des malheurs de sa prison. Que ne lui dit-elle pas pour le consoler de sa triste aventure, et pour le persuader qu'elle ne ferait pas moins pour lui qu'il avait fait pour elle. Le jour paraissait, la plupart des officiers étaient déjà levés, que l'oiseau bleu et la princesse parlaient encore ensemble : ils se séparèrent avec mille peines, après s'être promis que toutes les nuits ils s'entretiendraient ainsi.

La joie de s'être trouvés était si extrême qu'il n'est point de termes capables de l'exprimer ; chacun de son côté remerciait l'amour et la fortune. Cependant Florine s'inquiétait pour l'oiseau bleu. Qui le garantira des chasseurs, disait-elle, ou de la serre aiguë de quelque aigle ou de quelque vautour affamé, qui le mangera avec autant d'appétit que si ce n'était pas un grand roi ? O Ciel ! que deviendrais-je, si ses plumes légères et fines, poussées par le vent, venaient jusque dans ma prison m'annoncer le désastre que je crains ? Cette pensée empêcha que la pauvre princesse ne fermât les yeux ; car lorsque l'on aime, les illusions paraissent des vérités, et ce que l'on croirait impossible dans un autre temps, semble aisé en celui-là ; de sorte qu'elle passa le jour à pleurer, jusques à ce que l'heure fût venue de se mettre à sa fenêtre.

Le charmant oiseau, caché dans le creux d'un arbre, avait été tout le jour occupé à penser à sa belle princesse. Que je suis content, disait-il, de l'avoir retrouvée ! qu'elle est engageante ! que je sens vivement les bontés qu'elle me témoigne ! Ce tendre amant comptait jusques aux moindres moments de la pénitence qui l'empêchait de l'épouser, et jamais l'on n'en a désiré la fin avec plus de passion. Comme il voulait faire à Florine toutes les galanteries dont il était capable, il vola jusqu'à la ville capitale de son royaume : il fut à son palais, il entra dans son cabinet par une vitre qui était cassée ; il prit des pendants d'oreilles de diamant, si parfaits et si beaux, qu'il n'y en avait point au monde qui en approchassent : il les apporta le soir à Florine, et la pria de s'en parer. J'y consentirais, lui dit-elle, si vous me voyiez le jour ; mais puisque je ne vous parle que la nuit, je ne les mettrai pas. L'oiseau lui promit de prendre si bien son temps, qu'il viendrait à la tour à l'heure qu'elle voudrait : aussitôt elle mit les pendants d'oreilles, et la nuit se passa à causer comme s'était passée l'autre.

Le lendemain l'oiseau bleu retourna dans son royaume, il fut à son palais ; il entra dans son cabinet par la vitre rompue, et il en apporta les plus riches bracelets que l'on eût encore vus : ils étaient d'une seule émeraude, taillés en facettes, creusés par le milieu, pour y passer la main et le bras. Pensez-vous, lui dit la princesse, que mes sentiments pour vous aient besoin d'être cultivés par des présents ? Ah ! que vous les connaîtriez mal ! Non, Madame, répliqua-t-il, je ne crois pas que les bagatelles que je vous offre soient nécessaires pour me conserver votre tendresse ; mais la mienne serait blessée si je négligeais aucune occasion de vous marquer mon attention ; et quand vous ne me voyez point, ces petits bijoux me rappellent à votre souvenir. Florine lui dit là-dessus mille choses obligeantes, auxquelles il répondit par mille autres, qui ne l'étaient pas moins.

La nuit suivante, l'oiseau amoureux ne manqua pas d'apporter à sa belle une montre d'une grandeur raisonnable, qui était dans une perle : l'excellence du travail surpassait celle de la matière. Il est inutile de me régaler d'une montre, dit-elle galamment ; quand vous êtes éloigné de moi, les heures me paraissent sans fin ; quand vous êtes avec moi, elles passent comme un songe : ainsi je ne puis leur donner une juste mesure. Hélas ! ma princesse, s'écria l'oiseau bleu, j'en ai la même opinion que vous, et je suis persuadé que je renchéris encore sur la délicatesse. Après ce que vous souffrez pour me conserver votre cœur, répliqua-t-elle, je suis en état de croire que vous avez porté l'amitié et l'estime aussi loin qu'elles peuvent aller.

Dès que le jour paraissait, l'oiseau volait dans le fond de son arbre, où des fruits lui servaient de nourriture ; quelquefois encore il chantait de beaux airs, sa voix ravissait les passants : ils l'entendaient et ne voyaient personne ; aussi il était conclu que c'étaient des esprits. Cette opinion devint si commune, que l'on n'osait entrer dans le

bois : on rapportait mille aventures fabuleuses qui s'y étaient passées ;
et la terreur générale fit la sûreté particulière de l'oiseau bleu.

Il ne se passait aucun jour sans qu'il fît un présent à Florine ; tantôt
un collier de perles, ou des bagues des plus brillantes et des mieux
mises en œuvre, des attaches de diamant, des poinçons, des bouquets
de pierreries qui imitaient la couleur des fleurs, des livres agréables,
des médailles ; enfin, elle avait un amas de richesses merveilleuses :
elle ne s'en parait jamais que la nuit pour plaire au roi, et le jour,
n'ayant point d'endroit à les mettre, elle les cachait soigneusement
dans sa paillasse.

Deux années s'écoulèrent ainsi sans que Florine se plaignît une
seule fois de sa captivité. Et comment s'en serait-elle plainte ? Elle
avait la satisfaction de parler toute la nuit à ce qu'elle aimait : il ne
s'est jamais tant dit de jolies choses. Bien qu'elle ne vît personne,
et que l'oiseau passât le jour dans le creux d'un arbre, ils avaient
mille nouveautés à se raconter ; la matière était inépuisable, leur cœur
et leur esprit fournissaient abondamment des sujets de conversation.

Cependant la malicieuse reine, qui la retenait si cruellement en
prison, faisait d'inutiles efforts pour marier Truitonne ; elle envoyait
des ambassadeurs la proposer à tous les princes dont elle connaissait
le nom : dès qu'ils arrivaient on les congédiait brusquement. S'il
s'agissait de la princesse Florine, vous seriez reçus avec joie, leur
disait-on ; mais pour Truitonne, elle peut rester vestale sans que
personne s'y oppose. A ces nouvelles, sa mère et elle s'emportaient
de colère contre l'innocente princesse qu'elles persécutaient. Quoi !
malgré sa captivité, cette arrogante nous traversera, disaient-elles ?
Quel moyen de lui pardonner les mauvais tours qu'elle nous fait ?
Il faut qu'elle ait des correspondances secrètes dans les pays
étrangers : c'est tout au moins une criminelle d'État ; traitons-la sur
ce pied, et cherchons tous les moyens possibles de la convaincre.

Elles finirent leur conseil si tard, qu'il était plus de minuit
lorsqu'elles résolurent de monter dans la tour pour l'interroger. Elle
était avec l'oiseau bleu à la fenêtre, parée de ses pierreries, coiffée
de ses beaux cheveux, avec un soin qui n'est pas naturel aux
personnes affligées ; sa chambre et son lit étaient jonchés de fleurs,
et quelques pastilles d'Espagne qu'elle venait de brûler, répandaient
une odeur excellente. La reine écouta à la porte ; elle crut entendre
chanter un air à deux parties : car Florine avait une voix presque
céleste ; en voici les paroles, qui lui parurent tendres :

> Que notre sort est déplorable,
> Et que nous souffrons de tourment
> Pour nous aimer trop constamment.
> Mais c'est en vain qu'on nous accable ;
> Malgré nos cruels ennemis
> Nos cœurs seront toujours unis.

Quelques soupirs finirent leur petit concert.

Ah ! ma Truitonne, nous sommes trahies ! s'écria la reine en
ouvrant brusquement la porte et se jetant dans la chambre. Que
devint Florine à cette vue ? Elle poussa promptement sa petite
fenêtre, pour donner le temps à l'oiseau royal de s'envoler. Elle était

bien plus occupée de sa conversation que de la sienne propre ; mais il ne se sentit pas la force de s'éloigner : ses yeux perçants lui avaient découvert le péril où sa princesse était exposée. Il avait vu la reine et Truitonne ; quelle affliction de n'être pas en état de défendre sa maîtresse ! Elles s'approchèrent d'elle comme des furies qui voulaient la dévorer. L'on sait vos intrigues contre l'État, s'écria la reine ; ne pensez pas que votre rang vous sauve des châtiments que vous méritez. Et avec qui, Madame, répliqua la princesse ? N'êtes-vous pas ma geôlière depuis deux ans ? Ai-je vu d'autres personnes que celles que vous m'avez envoyées ? Pendant qu'elle parlait, la reine et sa fille l'examinaient avec une surprise sans pareille ; son admirable beauté et son extraordinaire parure les éblouissaient. Et d'où vous viennent, Madame, dit la reine, ces pierreries qui brillent plus que le soleil ? Nous ferez-vous accroire qu'il y en a des mines dans cette tour ? Je les y ai trouvées, répliqua Florine ; c'est tout ce que j'en sais. La reine la regardait attentivement pour pénétrer jusques au fond de son cœur ce qui s'y passait. Nous ne sommes pas vos dupes, dit-elle, vous pensez nous en faire accroire, mais, princesse, nous savons ce que vous faites depuis le matin jusqu'au soir. On vous a donné tous ces bijoux dans la seule vue de vous obliger à vendre le royaume de votre père. Je serais fort en état de le livrer, répondit-elle avec un sourire dédaigneux ; une princesse infortunée, qui languit dans les fers depuis si longtemps, peut beaucoup dans un complot de cette nature. Et pour qui donc, reprit la reine, êtes-vous coiffée comme une petite coquette, votre chambre pleine d'odeurs, et votre personne si magnifique qu'au milieu de la cour vous seriez moins parée ? J'ai assez de loisir, dit la princesse, il n'est pas extraordinaire que j'en donne quelques moments à m'habiller ; j'en passe tant d'autres à pleurer mes malheurs que ceux-là ne sont pas à me reprocher. Çà, çà, voyons, dit la rine, si cette personne n'a point quelque traité fait avec les ennemis. Elle chercha elle-même partout, et, venant à la paillasse, qu'elle fit vider, elle y trouva une si grande quantité de diamants, de perles, de rubis, d'émeraudes et de topazes, qu'elle ne savait d'où cela venait. Elle avait résolu de mettre en quelque lieu des papiers pour perdre la princesse ; dans le temps qu'on n'y prenait pas garde, elle en cacha dans la cheminée ; mais par bonheur l'oiseau bleu était perché au-dessus, qui voyait mieux qu'un lynx et qui écoutait tout ; il s'écria : Prends garde à toi, Florine, voilà ton ennemie qui veut te faire une trahison. Cette voix si peu attendue, épouvanta à tel point la reine, qu'elle n'osa faire ce qu'elle avait médité. Vous voyez, Madame, dit la princesse, que les esprits qui volent en l'air me sont favorables. Je crois, dit la reine, outrée de colère, que les démons s'intéressent pour vous ; mais malgré eux votre père saura se faire justice. Plût au Ciel, s'écria Florine, n'avoir à craindre que la fureur de mon père ! Mais la vôtre, Madame, est plus terrible.

La reine la quitta, troublée de tout ce qu'elle venait de voir et d'entendre ; elle tint conseil sur ce qu'elle devait faire contre la princesse : on lui dit que si quelque fée ou quelque enchanteur la prenait sous leur protection, le vrai secret pour les irriter serait de lui faire de nouvelles peines, et qu'il serait mieux d'essayer de découvrir son intrigue. La reine approuva cette pensée ; elle envoya coucher dans sa chambre une jeune fille, qui contrefaisait l'innocente ; elle eut ordre de lui dire qu'on la mettait auprès d'elle pour la servir. Mais quelle apparence de donner dans un panneau si grossier ? La princesse la regarda comme son espionne ; l'on n'en peut ressentir une douleur plus violente. Quoi ! je ne parlerai plus à cet oiseau qui m'est si cher ? disait-elle. Il m'aidait à supporter mes malheurs, je soulageais les siens ; notre tendresse nous suffisait. Que va-t-il faire ? Que ferai-je moi-même ? En pensant à toutes ces choses, elle versait des ruisseaux de larmes.

Elle n'osait plus se mettre à la petite fenêtre, quoiqu'elle l'entendît voltiger autour, elle mourait d'envie de lui ouvrir ; mais elle craignait d'exposer la vie de ce cher amant. Elle passa un mois entier sans paraître ; l'oiseau bleu se désespérait : quelles plaintes ne faisait-il pas ! Comment vivre sans voir sa princesse ? Il n'avait jamais mieux ressenti les maux de l'absence et ceux de sa métamorphose ; il cherchait inutilement des remèdes à l'un et à l'autre : après s'être creusé la tête, il ne trouvait rien qui le soulageât.

L'espionne de la princesse, qui veillait jour et nuit depuis un mois, se sentit si accablée de sommeil, qu'enfin elle s'endormit profondément. Florine s'en aperçut ; elle ouvrit sa petite fenêtre, et dit :

> Oiseau bleu, couleur du temps,
> Vole à moi promptement.

Ce sont là ses propres paroles, auxquelles l'on n'a rien voulu changer. L'oiseau les entendit si bien, qu'il vint promptement sur la fenêtre. Quelle joie de se revoir ! Qu'ils avaient de choses à se dire ! Les amitiés et les protestations de fidélité se renouvelèrent mille et mille fois : la princesse n'ayant pu s'empêcher de répandre des larmes, son amant s'attendrit beaucoup, et la consola de son mieux. Enfin l'heure de se quitter étant venue, sans que la geôlière se fût réveillée, ils se dirent l'adieu du monde le plus touchant. Le lendemain encore l'espionne s'endormit, la princesse diligemment se mit à la fenêtre, puis elle dit, comme la première fois :

> Oiseau bleu, couleur du temps,
> Vole à moi promptement.

Aussitôt l'oiseau vint, et la nuit se passa comme l'autre, sans bruit et sans éclat, dont nos amants étaient ravis : ils se flattaient que la surveillante prendrait tant de plaisir à dormir, qu'elle en ferait autant toutes les nuits. Effectivement la troisième se passa encore très heureusement ; mais, pour celle qui suivit, la dormeuse ayant entendu quelque bruit, elle écouta sans faire semblant de rien ; puis elle regarda de son mieux, et vit au clair de la lune le plus bel oiseau de l'univers qui parlait à la princesse, qui la caressait avec sa patte, qui la béquetait doucement ; enfin elle entendit plusieurs choses de leur conversation, et demeura très étonnée ; car l'oiseau parlait comme un amant, et la belle Florine lui répondait avec tendresse.

Le jour parut ; ils se dirent adieu ; et, comme s'ils eussent eu un pressentiment de leur prochaine disgrâce, ils se quittèrent avec une peine extrême. La princesse se jeta sur son lit toute baignée de ses larmes, et le roi retourna dans le creux de son arbre. Sa geôlière courut chez la reine ; elle lui apprit tout ce qu'elle avait vu et entendu. La reine envoya quérir Truitonne et ses confidentes ; elles raisonnèrent longtemps ensemble, et conclurent que l'oiseau bleu était le roi Charmant. Quel affront, s'écria la reine ! Quel affront, ma Truitonne ! Cette insolente princesse, que je croyais si affligée, jouissait en repos des agréables conversations de notre ingrat. Ah ! je me vengerai d'une manière si sanglante qu'il en sera parlé. Truitonne la pria de n'y perdre pas un moment ; et comme elle se croyait plus intéressée dans l'affaire que la reine, elle mourait de joie lorsqu'elle pensait à tout ce qu'on ferait pour désoler l'amant et la maîtresse.

La reine renvoya l'espionne dans la tour ; elle lui ordonna de ne témoigner ni soupçon ni curiosité, et de paraître plus endormie qu'à l'ordinaire. Elle se coucha de bonne heure ; elle ronfla de son mieux ; et la pauvre princesse déçue, ouvrant la petite fenêtre, s'écria :

> Oiseau bleu, couleur du temps,
> Vole à moi promptement.

Mais elle l'appela toute la nuit inutilement ; il ne parut point ; car la méchante reine avait fait attacher aux cyprès des épées, des couteaux, des rasoirs, des poignards ; et lorsqu'il vint à tire-d'aile s'abattre dessus, ces armes meurtrières lui coupèrent les pieds ; il tomba sur d'autres, qui lui coupèrent les ailes, et enfint tout percé, il se sauva avec mille peines jusqu'à son arbre, laissant une longue trace de sang.

Que n'étiez-vous là, belle princesse, pour soulager cet oiseau royal ! Mais elle serait morte, si elle l'avait vu dans un état si déplorable ! Il ne voulait prendre aucun soin de sa vie, persuadé que c'était Florine qui lui avait fait jouer ce mauvais tour. Ah ! barbare, disait-il douloureusement, est-ce ainsi que tu payes la passion la plus pure et la plus tendre qui sera jamais ? Si tu voulais ma mort, que ne me la demandais-tu toi-même ; elle m'aurait été chère de ta main ? Je venais te trouver avec tant d'amour et de confiance ! Je souffrais pour toi, et je souffrais sans me plaindre ! Quoi ! tu m'as sacrifié à la plus cruelle des femmes ! Elle était notre ennemie commune ; tu viens de faire ta paix à mes dépens. C'est toi, Florine, c'est toi qui me poignardes ! Tu as emprunté la main de Truitonne, et tu l'as conduite jusques dans mon sein ! Ces funestes idées l'accablèrent à tel point, qu'il résolut de mourir.

Mais son ami l'Enchanteur, qui avait vu revenir chez lui les grenouilles volantes avec le chariot, sans que le roi parût, se mit si en peine de ce qui pouvait lui être arrivé, qu'il parcourut huit fois toute la terre pour le chercher, sans qu'il lui fût possible de le trouver. Il faisait son neuvième tour, lorsqu'il passa dans le bois où il était ; et, selon les règles qu'il s'était prescrites, il sonna du cor assez longtemps, et puis il cria cinq fois de toute sa force : Roi Charmant, roi Charmant, où êtes-vous ? Le roi reconnut la voix de son meilleur ami. Approchez, lui dit-il, de cet arbre, et voyez le malheureux roi que vous chérissez noyé dans son sang. L'Enchanteur tout surpris regardait de tous côtés sans rien voir. Je suis l'oiseau bleu, dit le roi d'une voix faible et languissante. A ces mots, l'enchanteur le trouva sans peine dans son petit nid. Un autre que lui aurait été étonné plus qu'il ne le fut ; mais il n'ignorait aucun tour de l'art négromancien : il ne lui en coûta que quelques paroles pour arrêter le sang qui coulait encore ; et avec des herbes qu'il trouva dans le bois, et sur lesquelles il dit deux mots de grimoire, il guérit le roi aussi parfaitement que s'il n'avait pas été blessé.

Il le pria ensuite de lui apprendre par quelle aventure il était devenu oiseau, et qui l'avait blessé si cruellement. Le roi contenta sa curiosité : il lui dit que c'était Florine qui avait décelé le mystère amoureux des visites secrètes qu'il lui rendait ; et que pour faire sa paix avec la reine, elle avait consenti à laisser garnir le cyprès de poignards et de rasoirs, par lesquels il avait été presque haché : il se récria mille fois sur l'infidélité de cette princesse, et dit qu'il s'estimerait heureux d'être mort avant que d'avoir connu son méchant cœur. Le magicien se déchaîna contre elle et contre toutes les femmes ; il conseilla au roi de l'oublier. Quel malheur serait le vôtre, lui dit-il, si vous étiez capable d'aimer plus longtemps cette ingrate ? Après ce qu'elle vient de vous faire, l'on en doit tout craindre. L'oiseau bleu n'en put demeurer d'accord, il aimait encore trop chèrement Florine ; et l'Enchanteur, qui connut ses sentiments, malgré le soin qu'il prenait de les cacher, lui dit d'une manière agréable :

> Accablé d'un cruel malheur,
> En vain l'on parle et l'on raisonne ;
> On n'écoute que sa douleur,
> Et point les conseils qu'on nous donne.
> Il faut laisser faire le temps,
> Chaque chose a son point de vue ;
> Et, quand l'heure n'est pas venue,
> On se tourmente vainement.

Le royal oiseau en convint, et pria son ami de le porter chez lui, et de le mettre dans une cage, où il fût à couvert de la patte du chat et de toute arme meurtrière. Mais, lui dit l'Enchanteur, resterez-vous encore cinq ans dans un état si déplorable et si peu convenable à vos affaires et à votre dignité ? Car, enfin, vous avez des ennemis qui soutiennent que vous êtes mort ; ils veulent envahir votre royaume : je crains bien que vous ne l'avez perdu avant d'avoir recouvré votre première forme. Ne pourrai-je pas, répliqua-t-il, aller dans mon palais, et gouverner tout comme je faisais ordinairement ?

Oh ! s'écria son ami, la chose est difficile ! Tel qui veut obéir à un homme, ne veut pas obéir à un perroquet ; tel vous craint étant roi, étant environné de grandeur et de faste, qui vous arrachera toutes les plumes vous voyant un petit oiseau. Ah ! faiblesse humaine, brillant extérieur, s'écria le roi ! encore que tu ne signifies rien pour le mérite et pour la vertu, tu ne laisses pas d'avoir des endroits décevants, dont on ne saurait presque se défendre ! Eh bien, continua-t-il, soyons philosophes, méprisons ce que nous ne pouvons obtenir ; notre parti ne sera point le plus mauvais. Je ne me rends pas si tôt, dit le magicien, j'espère de trouver quelques bons expédients.

Florine, la triste Florine, désespérée de ne plus voir le roi, passait les jours et les nuits à sa fenêtre, répétant sans cesse :

> Oiseau bleu, couleur du temps
> Vole à moi promptement.

La présence de son espionne ne l'en empêchait point ; son désespoir était tel, qu'elle ne ménageait plus rien. Qu'êtes-vous devenu, roi Charmant, s'écriait-elle ? Nos communs ennemis vous ont-ils fait ressentir les cruels effets de leur rage ? Avez-vous été sacrifié à leurs fureurs ? Hélas ! hélas ! n'êtes-vous plus ? Ne dois-je plus vous voir, ou, fatigué de mes malheurs, m'avez-vous abandonnée à la dureté de mon sort ? Que de larmes, que de sanglots suivaient ses tendres plaintes ! Que les heures étaient devenues longues par l'absence d'un amant si aimable et si cher ! La princesse, abattue, malade, maigre et changée, pouvait à peine se soutenir ; elle était persuadée que tout ce qu'il y a de plus funeste était arrivé au roi.

La reine et Truitonne triomphaient ; la vengeance leur faisait plus de plaisir que l'offense ne leur avait fait de peine. Et au fond, de quelle offense s'agissait-il ? Le roi Charmant n'avait pas voulu épouser un petit monstre, qu'il avait mille sujets de haïr. Cependant le père de Florine, qui devenait vieux, tomba malade et mourut. La fortune de la méchante reine et de sa fille changea de face : elles étaient regardées comme des favorites qui avaient abusé de leur faveur. Le peuple mutiné courut au palais demander la princesse Florine, la reconnaissant pour souveraine. La reine, irritée, voulut traiter l'affaire avec hauteur ; elle parut sur un balcon, et menaça les mutins. En même temps la sédition devint générale ; on enfonce les portes de son appartement, on le pille, et on l'assomme à coups de pierres. Truitonne s'enfuit chez sa marraine la fée Soussio ; elle ne courait pas moins de danger que sa mère.

Les grands du royaume s'assemblèrent promptement, et montèrent à la tour, où la princesse était fort malade. Elle ignorait la mort de son père, et le supplice de son ennemie. Quand elle entendit tant de bruit, elle ne douta pas qu'on ne vînt là prendre pour la faire mourir ; elle n'en fut point effrayée. La vie lui était odieuse depuis qu'elle avait perdu l'oiseau bleu. Mais ses sujets, s'étant jetés à ses pieds, lui apprirent le changement qui venait d'arriver à sa fortune. Elle n'en fut point émue. Ils la portèrent dans son palais, et la couronnèrent.

Les soins infinis que l'on prit de sa santé, et l'envie qu'elle avait d'aller chercher l'oiseau bleu, contribuèrent beaucoup à la rétablir, et lui donnèrent bientôt assez de force pour nommer un conseil, afin d'avoir soin de son royaume en son absence ; puis elle prit pour des mille millions de pierreries, et elle partit une nuit toute seule, sans que personne sût où elle allait.

L'Enchanteur, qui prenait soin des affaires du roi Charmant, n'ayant pas assez de pouvoir pour détruire ce que Soussio avait fait, s'avisa de l'aller trouver, et de lui proposer quelque accommodement en faveur duquel elle rendrait au roi sa figure naturelle. Il prit les grenouilles, et vola chez la fée, qui causait dans ce moment avec Truitonne. D'un enchanteur à une fée il n'y a que la main ; ils se connaissaient depuis cinq ou six cents ans, et dans cet espace de temps, ils avaient été mille fois bien et mal ensemble. Elle le reçut très agréablement. Que me veut mon compère, lui dit-elle ? (c'est ainsi qu'ils se nomment tous). Y a-t-il quelque chose pour son service qui dépende de moi ? Oui, ma commère, dit le magicien, vous pouvez tout pour ma satisfaction ; il s'agit du meilleur de mes amis, d'un roi que vous avez rendu infortuné. Ha, ha, je vous entends, compère, s'écria Soussio, j'en suis fâchée ; mais il n'y a point de grâce à espérer pour lui, s'il ne veut épouser ma filleule ; la voilà belle et jolie, comme vous voyez : qu'il se consulte.

L'Enchanteur pensa demeurer muet, tant il la trouva laide ; cependant il ne pouvait se résoudre à s'en aller sans régler quelque chose avec elle, parce que le roi avait couru mille risques depuis qu'il était en cage. Le clou qui l'accrochait s'était rompu ; la cage était tombée, et sa majesté emplumée souffrit beaucoup de cette chute ; Minet, qui se trouva dans la chambre lorsque cet accident arriva, lui donna un coup de griffe dans l'œil, dont il pensa rester borgne. Une autre fois on avait oublié de lui donner à boire ; il allait le grand chemin d'avoir la pépie, quand on l'en garantit par quelques gouttes d'eau. Un petit coquin de singe s'étant échappé, attrapa ses plumes au travers des barreaux de la cage, et il l'épargna aussi peu qu'il aurait fait un geai ou un merle. Le pire de tout cela, c'est qu'il était sur le point de perdre son royaume ; ses héritiers faisaient tous les jours des fourberies nouvelles pour prouver qu'il était mort. Enfin l'Enchanteur conclut avec sa commère Soussio, qu'elle mènerait Truitonne dans le palais du roi Charmant ; qu'elle y resterait quelques mois, pendant lesquels il prendrait sa résolution de l'épouser, et qu'elle lui rendrait sa figure : quitte à reprendre celle d'oiseau s'il ne voulait pas se marier.

La fée donna des habits tout d'or et d'argent à Truitonne ; puis elle la fit monter en trousse derrière elle sur un dragon, et elles se rendirent au royaume de Charmant, qui venait d'y arriver avec son fidèle ami l'Enchanteur. En trois coups de baguette, il se vit le même qu'il avait été, beau, aimable, spirituel et magnifique ; mais il achetait bien cher le temps qu'on diminuait de sa pénitence : la seule pensée d'épouser Truitonne le faisait frémir. L'Enchanteur lui disait les meilleures raisons qu'il pouvait ; elles ne faisaient qu'une médiocre impression sur son esprit ; et il était moins occupé de la conduite de son royaume, que des moyens de prolonger le terme que Soussio lui avait donné pour épouser Truitonne.

Cependant la reine Florine, déguisée sous un habit de paysanne, avec ses cheveux épars et mêlés, qui cachaient son visage, un chapeau de paille sur la tête, un sac de toile sur l'épaule, commença son voyage, tantôt à pied, tantôt à cheval, tantôt par mer, tantôt par terre : elle faisait toute la diligence possible ; mais, ne sachant où elle devait tourner ses pas, elle craignait toujours d'aller d'un côté, pendant que son aimable roi serait de l'autre. Un jour qu'elle s'était arrêtée au bord d'une fontaine, dont l'eau argentée bondissait sur de petits cailloux, elle eut envie de se laver les pieds ; elle s'assit sur le gazon, elle releva ses blonds cheveux avec un ruban, et mit ses pieds dans le ruisseau : elle ressemblait à Diane, qui se baigne au retour d'une chasse. Il passa dans cet endroit une petite vieille toute voûtée, appuyée sur un gros bâton ; elle s'arrêta, et lui dit : Que faites-vous là, ma belle fille ? vous êtes bien seule ? Ma bonne mère, dit la reine, je ne laisse pas d'être en grande compagnie ; car j'ai avec moi les chagrins, les inquiétudes et les déplaisirs. A ces mots, ses yeux se couvrirent de larmes : Quoi ! si jeune, vous pleurez ! dit la bonne femme. Ah ! ma fille, ne vous affligez pas. Dites-moi ce que vous avez sincèrement, et j'espère vous soulager. La reine le voulut bien ; elle lui conta ses ennuis, la conduite que la fée Soussio avait tenue dans cette affaire, et enfin comme elle cherchait l'oiseau bleu.

La petite vieille se redresse, s'agence, change tout d'un coup de visage, paraît belle, jeune, habillée superbement, et regardant la reine avec un sourire gracieux : Incomparable Florine, lui dit-elle, le roi que vous cherchez n'est plus oiseau, ma sœur Soussio lui a rendu sa première figure, il est dans son royaume ; ne vous affligez point, vous y arriverez et vous viendrez à bout de votre dessein. Voilà quatre œufs ; vous les casserez dans vos pressants besoins, et vous y trouverez des secours qui vous seront utiles. En achevant ces mots, elle disparut.

Florine se sentit fort consolée de ce qu'elle venait d'entendre ; elle mit ces œufs dans son sac, et tourna ses pas vers le royaume de Charmant.

Après avoir marché huit jours et huit nuits sans s'arrêter, elle arriva au pied d'une montagne prodigieuse par sa hauteur, toute d'ivoire, et si droite que l'on n'y pouvait mettre les pieds sans tomber. Elle fit mille tentatives inutiles, elle glissait, elle se fatiguait ; et, désespérée d'un obstacle si insurmontable, elle se coucha au pied de la montagne, résolue de s'y laisser mourir, quand elle se souvint des œufs que la fée lui avait donnés. Elle en prit un : Voyons, dit-elle, si elle ne s'est point moquée de moi, en me promettant les secours dont j'aurais besoin. Dès qu'elle l'eut cassé, elle y trouva des petits crapons d'or, qu'elle mit à ses pieds et à ses mains. Quand elle les eut, elle monta la montagne d'ivoire sans aucune peine car les crampons entraient dedans, et l'empêchaient de glisser. Lorsqu'elle fut tout au haut, elle eut de nouvelles peines pour descendre ; toute la vallée était d'une seule glace de miroir. Il y avait autour plus de soixante mille femmes qui s'y miraient avec un plaisir extrême, car ce miroir avait bien deux lieues de large et six de haut : chacune s'y voyait selon ce qu'elle voulait être. La rousse y paraissait blonde, la brune avait les cheveux noirs, la vieille croyait être jeune, la jeune n'y vieillissait point ; enfin tous les défauts y étaient si bien cachés, que l'on y venait des quatre coins du monde. Il y avait de quoi mourir de rire, de voir les grimaces et les minauderies que la plupart de ces coquettes faisaient. Cette circonstance n'y attirait pas moins d'hommes ; le miroir leur plaisait aussi. Il faisait paraître aux uns de beaux cheveux, aux autres la taille plus haute et mieux prise, l'air martial et meilleure mine. Les femmes dont ils se moquaient, ne se moquaient pas moins d'eux ; de sorte que l'on appelait cette montagne de mille noms différents. Personne n'était jamais parvenu jusques au sommet ; et quand on y vit Florine, les dames poussèrent de longs cris de désespoir. Où va cette malavisée, disaient-elles ? Sans doute qu'elle a assez d'esprit pour marcher sur notre glace ; du premier pas elle brisera tout ; elles faisaient un bruit épouvantable. La reine ne savait comment faire, car elle voyait un grand péril à descendre par là ; elle cassa un autre œuf, dont il sortit deux pigeons et un chariot, qui devint en même temps assez grand pour s'y placer commodément ; puis les pigeons descendirent légèrement avec la reine, sans qu'il lui arrivât rien de fâcheux. Elle leur dit : Mes petits amis, si vous vouliez me conduire jusques au lieu où le roi Charmant tient sa cour, vous n'obligeriez pas une ingrate. Les pigeons civils et obéissants ne s'arrêtèrent ni jour ni nuit qu'ils ne fussent arrivés aux portes de la ville. Florine decendit, et leur donna à chacun un doux baiser, plus estimable qu'une couronne.

Oh ! que le cœur lui battait en entrant : elle se barbouilla le visage pour n'être point connue. Elle demanda aux passants où elle pouvait voir le roi ? Quelques-uns se prirent à rire : Voir le roi, lui dirent-ils ! Hé, que lui veux-tu, ma Mie-Souillon ? Va, va te décrasser, tu n'as pas les yeux assez bons pour voir un tel monarque. La reine ne répondit rien ; elle s'éloigna doucement, et demanda encore à ceux qu'elle rencontra, où elle se pourrait mettre pour voir le roi ? Il doit venir demain au temple avec la princesse Truitonne, lui dit-on ; car enfin il consent à l'épouser.

Ciel, quelles nouvelles ! Truitonne, l'indigne Truitonne sur le point d'épouser le roi ! Florine pensa mourir ; elle n'eut plus de force pour parler ni pour marcher : elle se mit sous une porte, assise sur des pierres, bien cachée de ses cheveux et de son chapeau de paille. Infortunée que je suis disait-elle ! je viens ici pour augmenter le triomphe de ma rivale, et me rendre témoin de sa satisfaction ! C'était donc à cause d'elle que l'oiseau bleu cessa de me venir voir ! C'était pour ce petit monstre qu'il faisait la plus cruelle de toutes les infidélités, pendant qu'abîmée dans la douleur, je m'inquiétais pour la conservation de sa vie ! Le traître avait changé ; et se souvenant moins de moi que s'il ne m'avait jamais vue, il me laissait le soin de m'affliger de sa trop longue absence, sans se soucier de la mienne.

Quand on a beaucoup de chagrin, il est rare d'avoir bon appétit ; la reine chercha où se loger, et se coucha sans souper. Elle se leva avec le jour, elle courut au temple ; elle n'y entra qu'après avoir essuyé mille rebuffades des gardes et des soldats. Elle vit le trône du roi et celui de Truitonne, qu'on regardait déjà comme la reine. Quelle douleur pour une personne aussi tendre et aussi délicate que Florine ! Elle s'approcha du trône de sa rivale ; elle se tint debout, appuyée contre un pilier de marbre. Le roi vint le premier, plus beau et plus aimable qu'il eût été de sa vie. Truitonne parut ensuite richement vêtue, et si laide, qu'elle en faisait peur. Elle regarda la reine en fronçant le sourcil : Qui es-tu, lui dit-elle, pour oser t'approcher de mon excellente figure, et si près de mon trône d'or ? Je me nomme Mie-Souillon, répondit-elle ; je viens de loin pour vous vendre des raretés. Elle fouilla aussitôt dans son sac de toile, elle en tira les bracelets d'émeraude que le roi Charmant lui avait donnés. Ho, ho, dit Truitonne, voilà de jolies verrines ! En veux-tu une pièce de cinq sols ? Montrez-les, Madame, aux connaisseurs, dit la reine, et puis nous ferons notre marché. Truitonne qui aimait le roi plus tendrement qu'une telle bête n'en était capable, étant ravie de trouver des occasions de lui parler, s'avança jusqu'à son trône, et lui montra les bracelets, le priant de lui en dire son sentiment. A la vue de ces bracelets, il se souvint de ceux qu'il avait donnés à Florine ; il pâlit, il soupira, et fut longtemps sans répondre ; enfin, craignant qu'on ne s'aperçût de l'état où ses différentes pensées le réduisaient, il se fit un effort, et lui répliqua : Ces bracelets valent, je crois, autant que mon royaume ; je pensais qu'il n'y en avait qu'une paire au monde, mais en voilà de semblables.

Truitonne revint dans son trône, où elle avait moins bonne mine qu'une huître à l'écaille ; elle demanda à la reine combien, sans surfaire, elle voulait de ces bracelets ? Vous auriez trop de peine à me les payer, Madame, dit-elle, il vaut mieux vous proposer un autre marché : si vous me voulez procurer de coucher une nuit dans le cabinet des échos qui est au palais du roi, je vous donnerai mes émeraudes. Je le veux bien, Mie-Souillon, dit Truitonne, en riant comme une perdue, et en montrant des dents plus longues que les défenses d'un sanglier.

Le roi ne s'informa point d'où venaient ces bracelets, moins par indifférence pour celle qui les présentait (bien qu'elle ne fût guère propre à faire naître la curiosité), que par un éloignement invincible qu'il suivait pour Truitonne. Or, il est à propos qu'on sache que pendant qu'il était oiseau bleu, il avait conté à la princesse qu'il y avait sous son appartement un cabinet, qu'on appelait le Cabinet des échos, qui était si ingénieusent fait, que tout ce qui s'y disait fort bas était entendu du roi lorsqu'il était couché dans sa chambre ; et, comme Florine voulait lui reprocher son infidélité, elle n'en avait point imaginé de meilleur moyen.

On la mena dans le cabinet par ordre de Truitonne : elle commença ses plaintes et ses regrets. Le malheur dont je voulais douter n'est que trop certain, cruel oiseau bleu, dit-elle ! Tu m'as oubliée, tu aimes mon indigne rivale ! Les bracelets que j'ai reçus de sa déloyale main, n'ont pu me rappeler à ton souvenir, tant j'en suis éloignée. Alors les sanglots interrompirent ses paroles ; et quand elle eut assez de force pour parler, elle se plaignit encore, et continua jusqu'au jour. Les valets de chambre l'avaient entendue toute la nuit gémir et soupirer : ils le dirent à Truitonne qui lui demanda quel tintamarre elle avait fait ? La reine lui dit qu'elle dormait si bien, qu'ordinairement elle rêvait et qu'elle parlait très souvent tout haut. Pour le roi, il ne l'avait point entendue, par une fatalité étrange. C'est que depuis qu'il avait aimé Florine, il ne pouvait plus dormir ; et lorsqu'il se mettait au lit pour lui faire prendre quelque repos, on lui donnait de l'opium.

La reine passa une partie du jour dans une étrange inquiétude. S'il m'a entendue, disait-elle, se peut-il une indifférence plus cruelle ? S'il ne m'a entendue, que ferai-je pour parvenir à me faire entendre ? Il ne se trouvait plus de raretés extraordinaires, car des pierreries sont toujours belles ; mais il fallait quelque chose qui piquât le goût de Truitonne : elle eut recours à ss œufs. Elle en cassa un ; aussitôt il en sortit un petit carrosse d'acier poli, garni d'or de rapport : il était attelé de six souris vertes, conduites par un raton couleur rose, et le postillon, qui était aussi de famille ratonnienne, était gris de lin. Il y avait dans ce carrosse quatre marionnettes plus fringantes et plus spirituelles que toutes celles qui paraissent aux foires Saint-Germain et Saint-Laurent ; elles faisaient des choses surprenantes, particulièrement deux petites Égyptiennes, qui, pour danser la sarabande et le passe-pieds, ne l'auraient pas cédé à Leance.

La reine demeura ravie de ce nouveau chef-d'œuvre de l'art négromancien ; elle ne dit mot jusqu'au soir, qui était l'heure que Truitonne allait à la promenade ; elle se mit dans une allée, faisant galoper ces souris, qui traînaient le carrosse, les ratons et les marionnettes. Cette nouveauté étonna si fort Truitonne, qu'elle s'écria deux ou trois fois : Mie-Souillon, Mie-Souillon, veux-tu cinq sols du carrosse et de ton attelage souriquois ? Demandez aux gens de lettres et aux docteurs de ce royaume, dit Florine, ce qu'une telle merveille peut valoir, et je m'en rapporterai à l'estimation du plus savant. Truitonne qui était absolue en tout, lui répliqua : Sans m'importuner plus longtemps de ta crasseuse présence, dis-m'en le prix ? Dormir encore dans le Cabinet des échos, dit-elle, est tout ce que je demande. Va, pauvre bête, répliqua Truitonne, tu n'en seras pas refusée ; et se tournant vers ses dames : Voilà une sotte créature, dit-elle, de retirer si peu d'avantage de ses raretés.

La nuit vint, Florine dit tout ce qu'elle put imaginer de plus tendre, et elle le dit aussi inutilement qu'elle avait déjà fait, parce que le roi ne manquait jamais de prendre son opium. Les valets de chambre disaient entre eux : Sans doute cette paysanne est folle ; qu'est-ce qu'elle raisonne toute la nuit ? Avec cela, disaient les autres, il ne laisse pas d'y avoir de l'esprit et de la passion dans ce qu'elle conte. Elle attendait impatiemment le jour, pour voir quel effet ses discours auraient produit. Quoi ! ce barbare est devenu sourd à ma voix, disait-elle ? Il n'entend plus sa chère Florine ! Ah ! quelle faiblesse de l'aimer encore ! Que je mérite bien les marques de mépris qu'il me donne ! Mais elle y pensait inutilement, elle ne pouvait se guérir de sa tendresse. Il n'y avait plus qu'un œuf dans son sac dont elle dût espérer du secours ; elle le cassa, il en sortit un pâté de six oiseaux qui étaient bardés, cuits, et fort bien apprêtés ; avec cela ils chantaient merveilleusement bien, disaient la bonne aventure, et savaient mieux la médecine qu'Esculape. La reine resta charmée d'une chose si admirable ; elle fut avec son pâté parlant dans l'antichambre de Truitonne.

Comme elle attendait qu'elle passât, un des valets de chambre du roi s'approcha d'elle, et lui dit : Ma Mie-Souillon, savez-vous bien que si le roi ne prenait pas de l'opium pour dormir, vous l'étourdiriez assurément ; car vous jasez la nuit d'une manière surprenante. Florine ne s'étonna plus de ce qu'il ne l'avait pas entendue ; elle fouilla dans son sac, et lui dit : Je crains si peu d'interrompre le repos du roi, que si vous voulez ne lui point donner d'opium ce soir, en cas que je couche dans ce même cabinet, toutes ces perles et tous ces diamants seront pour vous. Le valet de chambre y consentit, et lui en donna sa parole.

A quelques moments de là Truitonne vint ; elle aperçut la reine avec son pâté, qui feignait de le vouloir manger : Que fais-tu là, ma Mie-Souillon, lui dit-elle ? Madame, réplique Florine, je mange des astrologues, des musiciens et des médecins. En même temps tous les oiseaux se mettent à chanter plus mélodieusement que des sirènes ; puis ils s'écrièrent : Donnez la pièce blanche, et nous vous dirons votre bonne aventure. Un canard qui dominait, dit plus haut que les autres : Can, can, can, je suis médecin, je guéris de tous maux et de toute sorte de folie, hormis de celle d'amour. Truitonne plus surprise de tant de merveilles qu'elle l'eût été de ses jours, jura : Par la vertuchou, voilà un excellent pâté ! je le veux avoir ; ca ; ca ; Mie-Souillon, que t'en donnerais-je ? Le prix ordinaire, dit-elle ; coucher dans le Cabinet des échos, et rien davantage. Tiens, dit généreusement Truitonne (car elle était de belle humeur par l'acquisition d'un tel pâté), tu en auras une pistole. Florine, plus contente qu'elle l'eût encore été, parce qu'elle espérait que le roi l'entendrait, se retira en la remerciant.

Dès que la nuit parut, elle se fit conduire dans le cabinet, souhaitant avec ardeur que le valet de chambre lui tînt parole, et qu'au lieu de donner de l'opium au roi, il lui présentât quelque autre chose qui pût le tenir éveillé. Lorsqu'elle crut que chacun s'était endormi, elle commença ses plaintes ordinaires. A combien de périls me suis-je exposée, disait-elle, pour te chercher, pendant que tu me fuis, et que tu veux épouser Truitonne ? Que t'ai-je donc fait, cruel ! pour oublier tes serments ? Souviens-toi de ta métamorphose, de mes bontés, de nos tendres conversations. Elle les répéta presque toutes, avec une mémoire qui prouvait assez que rien ne lui était plus cher que ce souvenir.

Le roi ne dormait point, et il entendait si distinctement la voix de Florine et toutes ses paroles qu'il ne pouvait comprendre d'où elles venaient ; mais son cœur, pénétré de tendresse, lui rappela si vivement l'idée de son incomparable princesse, qu'il sentit sa séparation avec la même douleur qu'au moment où les couteaux l'avaient blessé sur les cyprès, il se mit à parler de son côté comme la reine avait fait du sien : Ah ! princesse, dit-il, trop cruelle pour un amant qui vous adorait ! est-il possible que vous m'ayez sacrifié à nos communs ennemis ! Florine entendit ce qu'il disait, et ne manqua pas de lui répondre, et de lui apprendre que s'il voulait entretenir la Mie-Souillon, il serait éclairci de tous les mystères qu'il n'avait pu pénétrer jusqu'alors. A ces mots le roi impatient appela un de ses valets de chambre, et lui demanda s'il ne pouvait point trouver Mie-Souillon et l'amener ? Le valet de chambre répliqua que rien n'était plus aisé, parce qu'elle couchait dans le Cabinet des échos.

Le roi ne savait qu'imaginer : quel moyen de croire qu'une si grande reine que Florine fût déguisée en souillon ? Et quel moyen de croire que Mie-Souillon eût la voix de la reine, et sût des secrets si particuliers, à moins que ce ne fût elle-même ? Dans cette incertitude il se leva, et s'habillant avec précipitation, il descendit par un degré dérobé dans le Cabinet des échos, dont la reine avait ôté la clef ; mais le roi en avait une qui ouvrait toutes les portes du palais.

Il la trouva avec une légère robe de taffetas blanc, qu'elle portait sous ses vilains habits, ses beaux cheveux couvraient ses épaules ; elle était couchée sur un lit de repos, et une lampe un peu éloignée ne rendait qu'une lumière sombre. Le roi entra tout d'un coup, et son amour l'emportant sur son ressentiment, dès qu'il l'a reconnut, il vint se jeter à ses pieds, il mouilla ses mains de ses larmes, et pensa mourir de joie, de douleur, et de mille pensées différentes qui lui passèrent en même temps dans l'esprit.

La reine ne demeura pas moins troublée ; son cœur se serra ; elle pouvait à peine soupirer : elle regardait fixement le roi sans lui rien dire ; et quand elle eût eu la force de lui parler, elle n'eût pas eu celle de lui faire des reproches ; le plaisir de le revoir lui fit oublier pour quelque temps les sujets de plaintes qu'elle croyait avoir. Enfin ils s'éclaircirent, ils se justifièrent, leur tendresse se réveilla ; et tout ce qui les embarrassait, c'était la fée Soussio.

Mais dans ce moment, l'enchanteur qui aimait le roi arriva avec une fée fameuse : c'était justement celle qui avait donné les quatre œufs à Florine. Après les premiers compliments, l'enchanteur et la fée déclarèrent que leur pouvoir étant uni en faveur du roi et de la reine, Soussio ne pouvait rien contre eux, et qu'ainsi leur mariage ne recevrait aucun retardement.

Il est aisé de se figurer la joie de ces deux jeunes amants : dès qu'il fut jour on la publia dans le palais, et chacun était ravi de voir Florine. Ces nouvelles allèrent jusqu'à Truitonne ; elle accourut chez le roi : quelle surprise d'y trouver sa belle rivale ! Dès qu'elle voulut ouvrir la bouche pour lui dire des injures, l'enchanteur et la fée parurent, qui la métamorphosèrent en truie, afin qu'il lui restât au moins une partie de son nom et de son naturel grondeur : elle s'enfuit toujours grognant jusques dans la basse-cour où de longs éclats de rire que l'on fit sur elle, achevèrent de la désespérer.

Le roi Charmant et la reine Florine, délivrés d'une personne si odieuse, ne pensèrent plus qu'à la fête de leurs noces ; la galanterie et la magnificence y parurent également : il est aisé de juger de leur félicité, après de si longs malheurs.

> Quand Truitonne aspirait à l'hymen de Charmant,
> Et que,sans avoir su lui plaire,
> Elle voulait former ce triste engagement
> Que la mort seule peut défaire,
> Qu'elle est imprudente ! Hélas !
> Sans doute elle ignorait qu'un pareil mariage
> Devient un funeste esclavage,
> Si l'amour ne le forme pas.


> Je trouve que Charmant fut sage.
> À mon sens il vaut beaucoup mieux
> Etre oiseau bleu, corbeau, devenir hibou même,
> Que d'éprouver la peine extrême
> D'avoir ce que l'on hait toujours devant ses yeux ;
> En ces sortes d'hymens notre siècle est fertile :
> Les hymens seraient plus heureux
> Si l'on trouvait encore quelque enchanteur habile
> Qui voulût s'opposer à ces coupables nœuds,
> Et ne jamais souffrir que l'hyménée unisse,
> Par intérêt ou par caprice,
> Deux cœurs infortunés, s'ils ne s'aiment tous deux.

# VOYAGE
# DANS L'ÎLE DES PLAISIRS

FENELON. Né le 6 août 1651 au château de Fénelon, en Périgord, mort à Cambrai, le 7 janvier 1715.

*Issu d'une famille de très vieille noblesse, François de Salignac de la Mothe-Fénelon est ordonné prêtre en 1675 et se trouve chargé par l'archevêque de Paris de la direction des* Nouvelles Catholiques, *une institution où l'on rééduquait les jeunes protestantes récemment converties au catholicisme. Il assuma cette tâche durant dix ans et écrivit un* Traité de l'éducation des filles. *Il se lia d'amitié avec Bossuet. Grâce à la recommandation de ce dernier auprès de Louis XIV (qui venait de révoquer l'Édit de Nantes), Fénelon prit la direction d'une mission en Aunis et Saintonge où sa diplomatie (on le disait « ondoyant »), sa prudence et sa charité réussirent bien mieux que l'épreuve de force. En 1689, Louis XIV le choisit comme précepteur de son petit-fils, le duc de Bourgogne, nature difficile que Fénelon sut cependant dompter selon ses méthodes habituelles de patience, tolérance et ténacité conjuguées. En 1694, Louis XIV le nomma archevêque de Cambrai.*

*Parmi ses principaux écrits, notons un* Traité du ministère des pasteurs *(rédigé à l'instigation de Bossuet), des* Fables, *les* Aventures de Télémaque, *un* Manuel de piété.

*Ses qualités de sensibilité et d'imagination se retrouvent dans le* Voyage dans l'île des plaisirs *que nous reproduisons. On découvre également dans ce conte ses conceptions personnelles de l'existence.*

*Illustration :* E. Meissonier.

Après avoir longtemps vogué sur la mer Pacifique, nous aperçûmes de loin une île de sucre avec des montagnes de compote, des rochers de sucre candi et de caramel, et des rivières de sirop qui coulaient dans la campagne. Les habitants, qui étaient fort friands, léchaient tous les chemins, et suçaient leurs doigts après les avoir trempés dans les fleuves.

Il y avait aussi des forêts de réglisse et de grands arbres d'où tombaient des gaufres, que le vent emportait dans la bouche des voyageurs, si peu qu'elle fût ouverte. Comme tant de douceurs nous parurent fades, nous voulûmes passer en quelque autre pays où l'on pût trouver des mets d'un goût plus relevé. On nous assura qu'il y avait à dix lieues de là une autre île où il y avait des mines de jambons, de saucisses et de ragoûts poivrés. On les creusait comme on creuse les mines d'or au Pérou. On y trouvait aussi des ruisseaux de sauce à l'oignon. Les murailles des maisons sont des croûtes de pâté. Il y pleut du vin rouge quand le temps est chargé, et, dans les plus beaux jours, la rosée du matin est toujours semblable au vin grec ou à celui de Saint-Laurent. Pour passer dans cette île, nous fîmes mettre sur le port de celle d'où nous voulions partir douze hommes d'une grosseur prodigieuse, et qu'on avait endormis ; ils soufflaient si fort en ronflant, qu'ils remplirent nos voiles d'un vent favorable. A peine fûmes-nous arrivés dans l'autre île que nous trouvâmes sur le rivage des marchands qui vendaient de l'appétit, car on en manquait souvent parmi tant de ragoûts. Il y avait aussi d'autres gens qui vendaient le sommeil. Le prix en était réglé tant par heure, mais il y avait des sommeils plus chers les uns que les autres, à proportion des songes que l'on voulait avoir. Les plus beaux songes étaient fort chers. J'en demandai des plus agréables, pour mon argent, et, comme j'étais las, j'allai d'abord me coucher. Mais, à peine fus-je dans mon lit, que j'entendis un grand bruit ; j'eus peur, et je demandai du secours. On me dit que c'était la terre qui s'entrouvrait. Je crus être perdu ; mais on me rassura en me disant qu'elle s'entr'ouvrait ainsi toutes les nuits à une certaine heure, pour vomir avec un grand effort des ruisseaux bouillants de chocolat moussé, et des liqueurs glacées de toutes les façons. Je le levai à la hâte pour en prendre, elles étaient délicieuses. Ensuite je me recouchai, et dans mon sommeil je crus voir que tout le monde était de cristal, que tous les hommes se nourrissaient de parfums quand il leur plaisait, qu'ils ne pouvaient marcher qu'en dansant, ni parler qu'en chantant ; qu'ils avaient des ailes pour fendre les airs, et des nageoires pour passer les mers. Mais ces hommes étaient comme des pierres à fusils ; on ne pouvait les choquer qu'aussitôt ils ne prissent feu. Ils s'enflammaient comme une mèche, et je ne pouvais m'empêcher de rire, voyant combien ils étaient faciles à émouvoir. Je voulus demander à l'un d'eux pourquoi il paraissait si animé : il me répondit en me montrant le poing qu'il ne se mettait jamais en colère.

A peine fus-je réveillé, qu'il vint un marchand d'appétit, me demandant de quoi je voulais avoir faim, et si je voulais qu'il me vendît des relais d'estomac pour manger toute la journée. J'acceptai la condition. Pour mon argent, il me donna douze petits sachets de taffetas, que je mis sur moi, et qui devaient me servir comme douze estomacs, pour digérer sans peine douze grands repas en un jour.

A peine eus-je pris les douze sachets, que je commençai à mourir de faim. Je passai ma journée à faire douze festins délicieux. Dès qu'un repas était fini, la faim me reprenait, et je ne lui donnais pas le temps de me presser. Mais, comme j'avais une faim avide, on remarqua que je mangeais pas proprement : les gens du pays sont d'une délicatesse et d'une propreté exquises. Le soir, je fus lassé d'avoir passé toute la journée à table comme un cheval à son râtelier. Je pris la résolution de faire tout le contraire le lendemain, et de ne me nourrir que de bonnes odeurs. On me donna à déjeuner de la fleur d'orange. A dîner, ce fut une nourriture plus forte : on me servit des tubéreuses et puis des peaux d'Espagne. Je n'eus que des jonquilles à la collation. Le soir, on me donna à souper de grandes corbeilles pleines de toutes les fleurs odoriférantes, et on y ajouta des cassolettes de toutes sortes de parfums. La nuit, j'eus une indigestion pour avoir trop senti d'odeurs nourrissantes. Le jour suivant, je jeûnai pour me délasser de la fatigue des plaisirs de la table. On me dit qu'il y avait en ce pays-là une ville singulière, et on me mit dans une petite chaise de bois fort légère et toute garnie de grandes plumes, et on attacha à cette chaise, avec des cordes de soie, quatre grands oiseaux, grands comme des autruches, qui avaient des ailes proportionnées à leur corps. Ces oiseaux prirent d'abord leur vol. Je conduisis les rênes du côté de l'orient, qu'on m'avait marqué. Je voyais à mes pieds les hautes montagnes, et nous volâmes si rapidement, que je perdais haleine en fendant la vague de l'air. En une heure nous arrivâmes à cette ville si renommée ; elle est toute de marbre, et elle était trois fois grande comme Paris. Toute la ville n'est qu'une maison. Il y a vingt-quatre grandes cours, dont chacune est grande comme les plus grand palais du monde ; et, au milieu de ces vingt-quatre cours, il y en a une vingt-cinquième qui est six fois plus grande que chacune des autres. Tous les logements de cette maison sont égaux car il n'y a point d'inégalité de condition entre les habitants de cette ville. Il n'y a là ni domestique, ni petit peuple :

chacun se sert soi-même, personne n'est servi : il y a seulement des souhaits, qui sont de petits esprits follets et voltigeants, qui donnent à chacun tout ce qu'il désire dans le moment même. En arrivant, je reçus un de ces esprits, qui s'attacha à moi et qui ne me laissa manquer de rien : à peine me donna-t-il le temps de désirer. Je commençais même à être fatigué des nouveaux désirs que cette liberté de me contenter excitait sans cesse en moi, et je compris par expérience qu'il valait mieux se passer de choses superflues que d'être sans cesse dans de nouveaux désirs, sans pouvoir jamais s'arrêter à la jouissance tranquille d'aucun plaisir. Les habitants de cette ville étaient polis et obligeants. Ils me reçurent comme si j'avais été l'un d'entre eux. Dès que je voulais parler, ils devinaient ce que je voulais, et le faisaient sans attendre que je m'expliquasse. Cela me surprit, et j'aperçus qu'ils ne parlaient jamais entre eux : ils lisent dans les yeux les uns des autres tout ce qu'ils pensent, comme on lit dans un livre ; et, quand ils veulent cacher leurs pensées, ils n'ont qu'à fermer les yeux. Ils me menèrent dans une salle où il y eut une musique de parfums. Ils assemblent les parfums comme nous assemblons les sons. Un certain assemblage de parfums, les uns plus forts, les autres plus doux, fait une harmonie qui chatouille l'odorat, comme nos concerts flattent l'oreille par des sons tantôt graves, tantôt aigus. En ce pays-là, les femmes gouvernent les hommes ; elles jugent les procès, elles enseignent les sciences, et vont à la guerre. Les hommes s'y fardent et s'y ajustent le matin jusqu'au soir ; ils filent, ils travaillent à la broderie, et ils craignent d'être battus par leurs femmes quand ils ne leur ont pas obéi. On dit que la chose se passait autrement il y a un certain nombre d'années ; mais les hommes, servis par des souhaits, sont devenus si lâches, si paresseux et si ignorants, que les femmes furent honteuses de se laisser gouverner par eux. Elles s'assemblèrent pour réparer les maux de la république. Elles firent des écoles publiques, où les personnes de leur sexe qui avaient le plus d'esprit se mirent à étudier. Elles désarmèrent leurs maris qui ne demandèrent pas mieux que de ne jamais aller aux coups. Elles les débarrassèrent de tous les procès à juger, veillèrent à l'ordre public, établirent des lois, les firent observer, et sauvèrent la chose publique, dont l'inapplication, la légèreté, la mollesse des hommes auraient sûrement causé la ruine totale. Touché de ce spectacle et fatigué de tant de festins et d'amusements, je conclus que les plaisirs des sens, quelque variés, quelque faciles qu'ils soient, avilissent et ne rendent point heureux. Je m'éloignai donc de ces contrées en apparence si délicieuses, et, de retour chez moi, je trouvai dans une vie sobre, dans un travail modéré, dans les mœurs pures, dans la pratique de la vertu, le bonheur et la santé que n'avaient pu me procurer la continuité de la bonne chère et la variété des plaisirs.

# LA BELLE ET LA BÊTE

JEANNE-MARIE LEPRINCE DE BEAUMONT. Née à Rouen le 26 avril 1711, morte près d'Annecy en 1780.

*Après une jeunesse studieuse à Rouen et un mariage malheureux avec un libertin dont elle se sépare très rapidement, Jeannne-Marie Leprince de Beaumont se rend en Angleterre, en 1745. Elle va y séjourner quinze ans, devenant institutrice des jeunes filles nobles pour gagner sa vie. C'est à Londres qu'elle publie pour la première fois, dans les journaux, des contes pour la jeunesse. En 1757, elle les réunit en un recueil : le Magasin des enfants. Viennent ensuite le Magasin des adolescents, le Magasin des pauvres. Rentrée en France, elle continue d'écrire un grand nombre d'ouvrages dans des domaines très divers.*

*A sa mort, elle ne laissa pas moins de soixante-dix volumes.*

*La belle et la bête figure parmi les contes du Magasin des enfants. L'écrivain français Jean Cocteau s'en est inspiré pour créer un film très personnel, superbe et poétique, qui restera dans les annales du cinéma français.*

*Rosa centifolia foliacea.*       *Rosier à cent feuilles, foliacé.*

P. J. Redouté *pinx.*           *Langlois sculp.*

*Illustration* : P. J. Redouté.

Il y avait une fois un marchand qui était extrêmement riche. Il avait six enfants, trois garçons et trois filles, et comme ce marchand était un homme d'esprit, il n'épargna rien pour l'éducation de ses enfants et leur donna toutes sortes de maîtres.

Ses filles étaient très belles ; mais la cadette surtout se faisait admirer et on ne l'appelait, quand elle était petite, que *la Belle Enfant* ; en sorte que le nom lui en resta, ce qui donna beaucoup de jalousie à se sœurs. Cette cadette, qui était plus belle que ses sœurs, était aussi meilleure qu'elles. Les deux aînées avaient beaucoup d'orgueil parce qu'elles étaient riches : elles faisaient les dames, et ne voulaient pas recevoir les visites des autres filles de marchands. Elles allaient tous les jours au bal, à la comédie, à la promenade, et se moquaient de leur cadette, qui employait la plus grande partie de son temps à lire de bons livres.

Comme on savait que ces filles étaient fort riches, plusieurs gros marchands les demandèrent en mariage, mais les deux aînées répondirent qu'elles ne se marieraient jamais, à moins qu'elles ne trouvassent un duc, ou tout au moins un comte. La Belle remercia bien honnêtement ceux qui voulaient l'épouser ; mais leur dit qu'elle était trop jeune et qu'elle souhaitait tenir compagnie à son père pendant quelques années.

Tout d'un coup, le marchand perdit son bien et il ne lui resta qu'une petite maison de campagne, bien loin de la ville. Il dit en pleurant à ses enfants qu'il leur fallait aller dans cette maison et qu'en travaillant comme des paysans, ils pourraient vivre. Ses deux filles aînées répondirent qu'elles ne voulaient pas quitter la ville et qu'elles connaissaient des jeunes gens qui seraient trop heureux de les épouser, quoiqu'elles n'eussent plus de fortune.

Ces demoiselles se trompaient : leurs amis ne voulurent plus les regarder quand elles furent pauvres. Comme personne ne les aimait, à cause de leur fierté, on disait :

« Elles méritent pas qu'on les plaigne ! Nous sommes bien aises de voir leur orgueil abaissé : qu'elles aillent faire les dames en gardant les moutons ! »

Mais en même temps, tout le monde disait :

« Pour la Belle, nous sommes bien fâchés de son malheur : c'est une si bonne fille ! Elle parlait aux pauvres gens avec tant de bonté ; elle était si honnête ! »

Il y eut même plusieurs gentilshommes qui voulurent l'épouser, quoiqu'elle n'eût pas un sou. Mais elle leur dit qu'elle ne pouvait se résoudre à abandonner son pauvre père dans son malheur, et qu'elle le suivrait à la campagne pour le consoler et l'aider à travailler.

Quand ils furent arrivés à leur maison de campagne, le marchand et ses trois fils s'occupèrent à labourer la terre.

La Belle se levait à quatre heures du matin et se dépêchait de nettoyer la maison et de préparer à dîner pour la famille. Elle eut d'abord beaucoup de peine, car elle n'était pas habituée à travailler comme une servante ; mais, au bout de deux mois, elle devint plus forte et la fatigue lui donna une santé parfaite. Quand elle avait fait son ouvrage, elle lisait, jouait du clavecin, ou bien chantait en filant.

Ses deux sœurs, au contraire, s'ennuyaient à mort ; elles se levaient à dix heures du matin, se promenaient toute la journée, et regrettaient leurs beaux habits et leurs amis.

« Voyez notre cadette, disaient-elles, elle est si stupide qu'elle se contente de sa malheureuse situation. »

Le bon marchand ne pensait pas comme ses filles. Il savait que la Belle était plus propre que ses sœurs à briller en société. Il admirait la vertu de cette jeune fille et surtout sa patience ; car ses sœurs, non contentes de lui laisser faire tout l'ouvrage de la maison, l'insultaient à tout moment.

Il y avait un an que cette famille vivait dans la solitude, lorsque le marchand reçut une lettre par laquelle on lui annonçait qu'un vaisseau, sur lequel il avait des marchandises, venait d'arriver sans encombre. Cette nouvelle faillit faire tourner la tête à ses deux aînées qui pensaient qu'enfin elles pourraient quitter cette campagne où elles s'ennuyaient tant. Quand elles virent leur père prêt à partir, elles le prièrent de leur apporter des robes, des palatines, des coiffures, et toutes sortes de bagatelles. La Belle ne lui demandait rien, car elle pensait que tout l'argent des marchandises ne suffirait pas à acheter ce que ses sœurs souhaitaient.

« Tu ne me pries pas de t'acheter quelque chose ? lui demanda son père.

– Puisque vous avez la bonté de penser à moi, lui dit-elle, je vous prie de m'apporter une rose, car on n'en trouve point ici. »

Ce n'est pas que la Belle se souciât d'une rose mais elle ne voulait pas condamner, par son exemple, la conduite de ses sœurs qui auraient dit que c'était pour se distinguer qu'elle ne demandait rien.

Le bonhomme partit. Mais quand il fut arrivé, on lui fit un procès pour ses marchandises. Et, après avoir eu beaucoup de peine, il revint aussi pauvre qu'il était auparavant. Il n'avait plus que trente milles à parcourir avant d'arriver à sa maison et il se réjouissait déjà du plaisir de voir ses enfants. Mais, comme il fallait traverser un grand bois avant de trouver sa maison, il se perdit. Il neigeait horriblement ; le vent soufflait si fort qu'il le jeta deux fois à bas de son cheval. La nuit étant venue, il pensa qu'il mourrait de faim ou de froid, ou qu'il serait mangé par des loups qu'il entendait hurler autour de lui.

Tout d'un coup, en regardant au bout d'une longue allée d'arbres, il vit une grande lumière, mais qui paraissait bien éloignée. Il marcha de ce côté-là et vit que cette lumière venait d'un grand palais, qui était tout illuminé.

Le marchand remercia Dieu du secours qu'il lui envoyait et se hâta d'arriver à ce château ; mais il fut bien surpris de ne trouver personne dans les cours. Son cheval qui le suivait, voyant une grande écurie ouverte, entra dedans ; ayant trouvé du foin et de l'avoine. Le pauvre animal, qui mourait de faim, se jeta dessus avec beaucoup d'avidité. Le marchand l'attacha dans l'écurie et marcha vers la maison, où il ne trouva personne ; mais étant entré dans une grande salle, il y trouva un bon feu et une table chargée de viandes, où il n'y avait qu'un couvert.

Comme la pluie et la neige l'avaient mouillé jusqu'aux os, il s'approcha du feu pour se sécher et disait en lui-même : « Le maître de la maison ou ses domestiques me pardonneront la liberté que j'ai prise, et sans doute ils viendront bientôt. »

Il attendit pendant un temps considérable ; mais onze heures ayant sonné sans qu'il vît personne, il ne put résister à la faim et prit un poulet qu'il mangea en deux bouchées, et en tremblant. Il but aussi quelques coups de vin ; devenu plus hardi, il sortit de la salle et traversa plusieurs grands appartements magnifiquement meublés. A la fin, il trouva une chambre où il y avait un bon lit et, comme il était las, il prit le parti de fermer la porte et de se coucher.

Il était dix heures du matin quand il s'éveilla le lendemain et il fut bien surpris de trouver un habit fort propre à la place du sien qui était tout gâté. « Assurément, pensa-t-il, ce palais appartient à quelque bonne fée qui a eu pitié de ma situation. » Il regarda par la fenêtre et ne vit plus de neige, mais des berceaux de fleurs qui enchantaient la vue. Il entra dans la grande salle où il avait soupé la veille et vit une petite table où il y avait du chocolat.

« Je vous remercie, madame la fée, dit-il tout haut, d'avoir eu la bonté de penser à mon déjeuner. »

Le bonhomme, après avoir pris son chocolat, sortit pour aller chercher son cheval et, comme il passait sous un berceau de roses, il se souvint que la Belle lui en avait demandé, et cueillit une branche où il y en avait plusieurs.

A cet instant il entendit un grand bruit et vit venir à lui une bête si horrible qu'il fut tout près de s'évanouir.

« Vous êtes bien ingrat, lui dit la Bête d'une voix terrible. Je vous ai sauvé la vie en vous recevant dans mon château et, pour ma peine, vous me volez mes roses que j'aime mieux que toute chose au monde : il vous faut mourir pour réparer votre faute. Je ne vous donne qu'un quart d'heure pour demander pardon à Dieu. »

Le marchand se jeta à genoux et dit à la Bête, en joignant les mains :

« Monseigneur, pardonnez-moi, je ne croyais pas vous offenser en cueillant une rose pour une de mes filles, qui m'en avait demandé.

– Je ne m'appelle point *Monseigneur*, répondit le monstre, mais *la bête*. Je n'aime pas les compliments, moi, je veux qu'on dise ce qu'on pense ; ainsi ne croyez pas me toucher par vos flatteries. Mais vous m'avez dit que vous aviez des filles. Je veux bien vous pardonner, à condition qu'une de vos filles vienne volontairement pour mourir à votre place. Ne discutez pas, partez ! Et si vos filles refusent de mourir pour vous, jurez que vous reviendrez dans trois mois. »

Le bonhomme n'avait pas dessein de sacrifier une de ses filles à ce vilain monstre ; mais il pensa : « Du moins j'aurai le plaisir de les embrasser encore une fois. »

Il jura donc de revenir, et la bête lui dit qu'il pourrait partir quand il voudrait. « Mais, ajouta-t-elle, je ne veux pas que tu t'en ailles les mains vides. Retourne dans la chambre où tu as couché, tu y trouveras un grand coffre vide, tu peux y mettre tout ce qui te plaira, je le ferai porter chez toi. »

En même temps la Bête se retira et le bonhomme se dit :

« S'il faut que je meure, j'aurai la consolation de laisser du pain à mes pauvres enfants. »

Il retourna dans la chambre où il avait couché ; y ayant trouvé une grande quantité de pièces d'or, il remplit le coffre dont la bête lui avait parlé, le ferma et, ayant repris son cheval qu'il retrouva dans l'écurie, il sortit de ce palais avec une tristesse égale à la joie qu'il avait lorsqu'il y était entré.

Son cheval prit lui-même une des routes de la forêt et, en peu d'heures, le bonhomme arriva dans sa petite maison.

Ses enfants se rassemblèrent autour de lui ; mais, au lieu d'être sensible à leurs caresses, le marchand se mit à pleurer en les regardant. Il tenait à la main la branche de roses qu'il apportait à la Belle ; il la lui donna et lui dit :

« La Belle, prenez ces roses ! Elles coûtent bien cher à votre malheureux père. » Et, tout de suite, il raconta à sa famille la funeste aventure qui lui était arrivée.

A ce récit, ses deux aînées jetèrent de grands cris, et dirent des injures à la Belle, qui ne pleurait point.

« Voyez ce que produit l'orgueil de cette petite créature, disaient-elles. Que ne demandait-elle des robes comme nous : mais non, mademoiselle voulait se distinguer ! Elle va causer la mort de notre père, et elle ne pleure pas.

– Cela serait fort inutile, reprit la Belle : pourquoi pleurerais-je la mort de mon père ? Il ne périra point. Puisque le monstre veut bien accepter une de ses filles, je veux me livrer à toute sa furie et je me trouve fort heureuse puisqu'en mourant j'aurai la joie de sauver mon père et de lui prouver ma tendresse.

– Non, ma sœur, lui dirent ses trois frères, vous ne mourrez pas : nous irons trouver ce monstre, nous périrons sous ses coups si nous ne pouvons le tuer.

– Ne l'espérez pas, mes enfants ! leur dit le marchand. La puissance de la Bête est si grande qu'il ne me reste aucune espérance de la faire périr. Je suis charmé du bon cœur de la Belle, mais je ne veux pas l'exposer à la mort. Je suis vieux, il ne me reste que peu de temps à vivre ; ainsi je ne perdrai que quelques années de vie que je ne regrette qu'à cause de vous, mes chers enfants.

– Je vous assure, mon père, dit la Belle, que vous n'irez pas à ce palais sans moi : vous ne pouvez m'empêcher de vous suivre. Quoique je sois jeune, je ne suis pas fort attachée à la vie, et j'aime mieux être dévorée par ce monstre que de mourir du chagrin que me donnerait votre perte. »

On eut beau dire, la Belle voulut absolument partir pour le beau palais, et ses sœurs en étaient charmées parce que les vertus de cette cadette leur avaient inspiré beaucoup de jalousie.

Le marchand était si occupé de la douleur de perdre sa fille qu'il ne pensait pas au coffre rempli d'or ; mais aussitôt qu'il se fut enfermé dans sa chambre pour se coucher, il fut bien étonné de le trouver au pied de son lit.

Il résolut de ne point dire à ses enfants qu'il était devenu riche, parce que ses filles auraient voulu retourner à la ville et qu'il était résolu de mourir dans cette campagne, mais il confia ce secret à la Belle qui lui apprit qu'il était venu quelques gentilshommes pendant son absence, qu'il y en avait deux qui aimaient ses sœurs. Elle pria son père de les marier ; car la Belle était si bonne qu'elle les aimait et leur pardonnait de tout son cœur le mal qu'elles lui avaient fait.

Ces méchantes filles se frottèrent les yeux avec un oignon pour pleurer lorsque la Belle partit avec son père ; mais ses frères pleuraient tout de bon aussi bien que le marchand.

Il n'y avait que la Belle qui ne pleurait point parce qu'elle ne voulait pas augmenter leur douleur.

Le cheval prit la route du palais et, sur le soir, ils l'aperçurent illuminé comme la première fois. Le cheval alla tout seul à l'écurie et le bonhomme entra avec sa fille dans la grande salle où ils trouvèrent une table magnifiquement servie, avec deux couverts. Le marchand n'avait pas le cœur de manger, mais la Belle, s'efforçant de paraître tranquille, se mit à table et le servit. Puis elle se dit en elle-même : « La Bête veut m'engraisser avant de me manger puisqu'elle me fait faire si bonne chère. »

Quand ils eurent soupé, ils entendirent un grand bruit. Le marchand dit adieu à sa pauvre fille en pleurant car il pensait que c'était la Bête.

La Belle ne put s'empêcher de frémir en voyant cette horrible figure, mais elle se rassura de son mieux et, le monstre lui ayant demandé si c'était de bon cœur qu'elle était venue, elle lui dit en tremblant que oui.

« Vous êtes bien bonne, lui dit la bête, et je vous suis bien obligé. Bonhomme, partez demain matin et ne vous avisez jamais de revenir ici. Adieu, la Belle !

– Adieu, la Bête », répondit-elle, et tout de suite le monstre se retira.

« Ah ! ma fille, dit le marchand en embrassant la Belle, je suis à demi-mort de frayeur. Croyez-moi, laissez-moi ici.

– Non, mon père, lui dit la Belle avec fermeté, vous partirez demain matin et vous m'abandonnerez au secours du Ciel ; peut-être aura-t-il pitié de moi. »

Ils allèrent se coucher et croyaient ne pas dormir de toute la nuit ; mais à peine furent-ils dans leurs lits que leurs yeux se fermèrent. Pendant son sommeil, la Belle vit une dame qui lui dit :

« Je suis contente de votre bon cœur, la Belle. La bonne action que vous faites, en donnant votre vie pour sauver celle de votre père, ne demeurera pas sans récompense. »

La Belle, s'éveillant, raconta ce songe à son père et, quoiqu'il le consolât un peu, cela l'empêcha pas de jeter de grands cris quand il fallut se séparer de sa chère fille.

Lorsqu'il fut parti, la Belle s'assit dans la grande salle et se mit à pleurer aussi. Mais comme elle avait beaucoup de courage, elle se recommanda à Dieu et résolut de ne se point chagriner pour le peu de temps qu'elle avait à vivre car elle croyait fermement que la Bête la mangerait le soir. Elle résolu de se promener en attendant et de visiter ce beau château. Elle ne pouvait s'empêcher d'en admirer la beauté. Mais elle fut bien surprise de trouver une porte sur laquelle il y avait écrit :

Appartement de la Belle

Elle ouvrit cette porte avec précipitation et fut éblouie de la magnificence qui y régnait. Mais ce qui frappa le plus sa vue fut une grande bibliothèque, un clavecin et plusieurs livres de musique.

« On ne veut pas que je m'ennuie », dit-elle tout bas. Elle pensa ensuite : « Si je n'avais qu'un jour à demeurer ici, on ne m'aurait pas ainsi pourvue. » Cette pensée ranima son courage. Elle ouvrit la bibliothèque et vit un livre où il y avait écrit en lettres d'or :

Souhaitez, commandez :
vous êtes ici la reine et la maîtresse.

« Hélas ! dit-elle en soupirant, je ne souhaite rien que de voir mon pauvre père et de savoir ce qu'il fait à présent. » Elle avait dit cela en elle-même.

Quelle fut sa surprise, en jetant les yeux sur un grand miroir, d'y voir sa maison où son père arrivait avec un visage extrêmement triste ! Ses sœurs venaient au-devant de lui et, malgré les grimaces qu'elles faisaient pour paraître affligées, la joie qu'elles avaient de la perte de leur sœur paraissait sur leur visage. Un moment après, tout cela disparut, et la Belle ne put s'empêcher de penser que la Bête était bien complaisante et qu'elle n'avait rien à craindre.

A midi, elle trouva la table mise et, pendant son dîner, elle entendit un excellent concert, quoiqu'elle ne vît personne. Le soir, comme elle allait se mettre à table, elle entendit le bruit que faisait la Bête et ne put s'empêcher de frémir.

« La Belle, lui dit ce monstre, voulez-vous bien que je vous voie souper ?

– Vous êtes le maître, répondit la Belle en tremblant.

– Non, reprit la Bête, il n'y a ici de maîtresse que vous. Vous n'avez qu'à me dire de m'en aller si je vous ennuie ; je sortirai tout de suite. Dites-moi, n'est-ce pas que vous me trouvez bien laid ?

– Cela est vrai, dit la Belle, car je ne sais pas mentir ; mais je crois que vous êtes fort bon.

– Vous avez raison, dit le monstre. Mais outre que je suis laid, je n'ai point d'esprit : je sais bien que je ne suis qu'une bête.

On n'est pas bête, reprit la Belle, quand on croit n'avoir point d'esprit. Un sot n'a jamais su cela.

– Mangez donc, la Belle, dit le monstre, et tâchez de ne point vous ennuyer dans votre maison car tout ceci est à vous, et j'aurais du chagrin si vous n'étiez pas contente.

– Vous avez bien de la bonté, dit la Belle. Je vous assure que je suis contente de votre cœur. Quand j'y pense, vous ne me paraissez plus si laid.

– Oh ! dame, oui ! répondit la Bête. J'ai le cœur bon, mais je suis un monstre.

– Il y a bien des hommes qui sont plus monstres que vous, dit la Belle, et je vous aime mieux avec votre figure que ceux qui, avec la figure d'homme, cachent un cœur faux, corrompu, ingrat.

– Si j'avais de l'esprit, reprit la Bête, je vous ferais un grand compliment pour vous remercier ; mais je suis stupide, et tout ce que je puis vous dire, c'est que je vous suis bien obligé. »

La Belle soupa de bon appétit. Elle n'avait presque plus peur du monstre, mais elle manqua mourir de frayeur lorsqu'il lui dit :

« La Belle, voulez-vous être ma femme ? »

Elle fut quelque temps sans répondre : Elle avait peur d'exciter la colère du monstre en refusant sa proposition. Elle lui dit enfin en tremblant :

« Non, la Bête. »

Dans le moment, ce pauvre monstre voulut soupirer et il fit un sifflement si épouvantable que tout le palais en retentit ; mais la Belle fut bientôt rassurée, car la Bête, lui ayant dit tristement « Adieu donc, la Belle », sortit de la chambre en se retournant de temps en temps pour la regarder encore.

La Belle, se voyant seule, sentit une grande compassion pour cette pauvre Bête. « Hélas ! disait-elle, c'est bien dommage qu'elle soit si laide, elle est si bonne ! »

La Belle passa trois mois dans ce palais avec assez de tranquillité. Tous les soirs, la Bête lui rendait visite et parlait avec elle pendant le souper avec assez de bon sens, mais jamais avec ce que l'on appelle esprit dans le monde. Chaque jour, la Belle découvrait de nouvelles bontés dans ce monstre : l'habitude de le voir l'avait accoutumée à sa laideur et, loin de craindre le moment de sa visite, elle regardait souvent sa montre pour voir s'il était bientôt neuf heures, car la Bête ne manquait jamais de venir à cette heure-là.

Il n'y avait qu'une chose qui faisait de la peine à la Belle, c'est que le monstre, avant de se coucher, lui demandait toujours si elle voulait être sa femme et paraissait pénétré de douleur lorsqu'elle lui disait que non. Elle lui dit un jour :

« Vous me chagrinez, la Bête ! Je voudrais pouvoir vous épouser, mais je suis trop sincère pour vous faire croire que cela arrivera jamais. Je serai toujours votre amie : tâchez de vous contenter de cela.

– Il le faut bien, reprit la Bête. Je me rends justice ! Je sais que je suis horrible, mais je vous aime beaucoup. Aussi, je suis trop heureux de ce que vous vouliez bien rester ici. Promettez-moi que vous ne me quitterez jamais ! »

La Belle rougit à ces paroles. Elle avait vu, dans son miroir, que son père était malade de chagrin de l'avoir perdue et elle souhaitait le revoir.

« Je pourrais bien vous promettre de ne vous jamais quitter tout à fait, mais j'ai tant envie de revoir mon père que je mourrai de douleur si vous me refusez ce plaisir.

– J'aime mieux mourir moi-même, dit le monstre, que de vous donner du chagrin. Je vous enverrai chez votre père, vous y resterez, et votre pauvre Bête en mourra de douleur.

– Non, lui dit la Belle en pleurant, je vous aime trop pour vouloir causer votre mort. Je vous promets de revenir dans huit jours.Vous m'avez fait voir que mes sœurs sont mariées et que mes frères sont partis pour l'armée. Mon père est tout seul : acceptez que je reste chez lui une semaine.

Vous y serez demain au matin, dit la Bête. Mais souvenez-vous de votre promesse : vous n'aurez qu'à mettre votre bague sur une table en vous couchant quand vous voudrez revenir. Adieu, la Belle ! »

La Bête soupira, selon sa coutume, en disant ces mots, et la Belle se coucha, toute triste de l'avoir affligée.

Quand elle se réveilla, le matin, elle se trouva dans la maison de son père et, ayant sonné une clochette qui était à côté du lit, elle vit venir la servante qui poussa un grand cri en la voyant. Le bonhomme accourut à ce cri et manqua de mourir de joie en revoyant sa chère fille, et ils se tinrent embrassés plus d'un quart d'heure.

La Belle, après les premiers transports, pensa qu'elle n'avait point d'habits pour se lever ; mais la servante lui dit qu'elle venait de trouver dans la chambre voisine un grand coffre plein de robes d'or, garnies de diamants. La Belle remercia la bonne Bête de ses attentions. Elle prit la moins riche de ces robes et dit à la servante de ranger les autres dont elle voulait faire présent à ses sœurs. Mais à peine eut-elle prononcé ces paroles que le coffre disparut.

Son père lui dit que la Bête voulait qu'elle gardât tout cela pour elle, et aussitôt les robes et le coffre revinrent à la même place.

La Belle s'habilla et, pendant ce temps, on alla avertir ses sœurs qui accoururent avec leurs maris.

Elles étaient toutes deux fort malheureuses. L'aînée avait épousé un jeune gentilhomme beau comme l'Amour ; mais il était si amoureux de sa propre figure qu'il n'était occupé que de cela depuis le matin jusqu'au soir. La seconde avait épousé un homme qui avait beaucoup d'esprit, mais il ne s'en servait que pour faire enrager tout le monde, à commencer par sa femme.

Les sœurs de la Belle manquèrent de mourir de douleur quand elles la virent habillée comme une princesse, et plus belle que le jour. Rien ne put étouffer leur jalousie, qui augmenta lorsque la Belle leur eut conté combien elle était heureuse.

Ces deux jalouses descendirent dans le jardin pour y pleurer tout à leur aise et elles se disaient :

« Pourquoi cette petite créature est-elle plus heureuse que nous ? Ne sommes-nous pas plus aimables qu'elle ?

– Ma sœur, dit l'aînée, il me vient une pensée ! Tâchons de l'arrêter ici plus de huit jours : sa sotte Bête se mettra en colère de ce qu'elle lui aura manqué de parole et peut-être qu'elle la dévorera.

– Vous avez raison, ma sœur, répondit l'autre. Nous ferons tout pour la retenir ici. »

Et, ayant pris cette résolution, elles remontèrent et firent tant d'amitiés à leur sœur que la Belle en pleura de joie.

Quand les huit jours furent passés, les deux sœurs s'arrachèrent les cheveux, feignirent tellement d'être affligées de son départ que la Belle promit de rester encore huit jours.

Cependant la Belle se reprochait le chagrin qu'elle allait donner à sa pauvre Bête qu'elle aimait de tout son cœur. Elle s'ennuyait aussi de ne plus la voir.

La dixième nuit qu'elle passa chez son père, elle rêva qu'elle était dans le jardin du palais et qu'elle voyait la Bête couchée sur l'herbe, et prête à mourir, qui lui reprochait son ingratitude. La Belle se réveilla en sursaut et versa des larmes. « Ne suis-je pas bien méchante, dit-elle, de donner du chagrin à une Bête qui a pour moi tant de complaisance ! Est-ce sa faute si elle est si laide ? et si elle a peu d'esprit ? Elle est bonne, cela vaut mieux que tout le reste. Pourquoi n'ai-je pas voulu l'épouser ? Je serais plus heureuse avec elle que mes sœurs avec leur mari. Ce n'est ni la beauté ni l'esprit d'un mari qui rendent une femme contente, c'est la bonté du caractère, la vertu, et la Bête a toutes ces bonnes qualités. Je n'ai point d'amour pour elle, mais j'ai de l'estime, de l'amitié et de la reconnaissance. Allons, il ne faut pas la rendre malheureuse. Je me reprocherais toute ma vie mon ingratitude. »

A ces mots, la Belle se lève, met sa bague sur la table et revient se coucher. A peine fut-elle dans son lit qu'elle s'endormit.

Quand elle se réveilla le matin, elle vit avec joie qu'elle était dans le palais de la Bête. Elle s'habilla magnifiquement pour lui plaire et s'ennuya à mourir toute la journée, en attendant neuf heures du soir ; mais l'horloge eut beau sonner, la Bête ne parut point.

La Belle alors craignit d'avoir causé sa mort. Elle courut tout le palais en jetant de grands cris ; elle était au désespoir. Après avoir cherché partout, elle se souvint de son rêve et courut dans le jardin vers le canal où elle l'avait vue en dormant. Elle trouva la pauvre bête étendue, sans connaissance et crut qu'elle était morte. Elle se jeta sur son corps sans avoir horreur de sa figure et, sentant que son cœur battait encore, elle prit de l'eau dans le canal et lui en jeta sur la tête. La Bête ouvrit les yeux et dit à la Belle :

« Vous avez oublié votre promesse ! Le chagrin de vous avoir perdue m'a fait résoudre à me laisser mourir de faim ; mais je meurs content puisque j'ai le plaisir de vous revoir encore une fois.

– Non, ma chère Bête, vous ne mourrez point ! lui dit la Belle. Vous vivrez pour devenir mon époux. Dès ce moment, je vous donne ma main et je jure que je ne serai qu'à vous. Hélas ! je croyais n'avoir que de l'amitié pour vous, mais la douleur que je sens me fait voir que je ne pourrais vivre sans vous voir. »

A peine la Belle eut-elle prononcé ces paroles qu'elle vit le château brillant de lumières. Les feux d'artifice, la musique, tout lui annonçait une fête ; mais toutes ces beautés n'arrêtèrent point sa vue. Elle se retourna vers sa chère Bête dont l'état faisait frémir. Quelle ne fut pas sa surprise ! La Bête avait disparu, et elle ne vit plus à ses pieds qu'un prince plus beau que l'Amour, qui la remerciait d'avoir rompu son enchantement. Quoique ce prince méritât toute son attention, elle ne put s'empêcher de lui demander où était la Bête.

« Vous la voyez à vos pieds, lui dit le prince. Une méchante fée m'avait condamné à rester sous cette figure jusqu'à ce qu'une belle fille consentît à m'épouser, et elle m'avait défendu de faire paraître mon esprit. Ainsi il n'y avait que vous dans le monde pour vous laisser toucher par la bonté de mon caractère : en vous offrant ma couronne, je ne puis m'acquitter des obligations que j'ai pour vous. »

La Belle, agréablement surprise, donna la main à ce prince pour le relever. Ils allèrent ensemble au château et la Belle manqua mourir de joie en trouvant, dans la grand-salle, son père et toute sa famille, que la belle dame qui lui était apparue en songe avait transportés au château.

« Belle, lui dit cette dame, qui était une grande fée, venez recevoir la récompense de votre bon choix : vous avez préféré la vertu à la beauté et à l'esprit. Vous méritez de trouver toutes ces qualités réunies en une même personne. Vous allez devenir une grande reine : j'espère que le trône ne détruira pas vos vertus. Pour vous, mesdemoiselles, dit la fée aux deux sœurs de Belle, je connais votre cœur et toute la malice qu'il renferme. Devenez deux statues, mais conservez toute votre raison sous la pierre qui vous enveloppera. Vous demeurerez à la porte du palais de votre sœur, et je ne vous impose point d'autre peine que d'être témoins de son bonheur. Vous ne pourrez revenir dans votre premier état qu'au moment où vous reconnaîtrez vos fautes. Mais j'ai bien peur que vous ne restiez toujours statues. On se corrige de l'orgueil, de la colère, de la gourmandise et de la paresse, mais c'est une espèce de miracle que la conversion d'un cœur méchant et envieux. »

Dans le moment, la fée donna un coup de baguette qui transporta tous ceux qui étaient dans cette salle dans le royaume du prince. Ses sujets le virent avec joie, et il épousa la Belle, qui vécut avec lui fort longtemps, et dans un bonheur parfait, parce qu'il était fondé sur la vertu.

# LA PETITE AMATEUR DE CRÈME

MARCELINE DESBORDES-VALMORE. Née le 20 juin 1786 à Douai, morte le 23 juillet 1859 à Paris.

*Enfance mouvementée que celle de Marceline-Félicité Josèphe Desbordes. Fille d'un peintre en armoiries, le ménage de ses parents ne résiste pas à la Révolution. Ses études s'achèvent avec les classes primaires. Elle quitte la France avec sa mère et arrive en Guadeloupe en 1801, une Guadeloupe en pleine émeute et où sévit une épidémie de fièvre jaune à laquelle ne résiste pas Mme Desbordes. De retour en France, Marceline fait des débuts de cantatrice à l'Opéra comique. Elle connaît un certain succès à l'Odéon, en 1813, et aussi, un peu plus tard, à la Monnaie de Bruxelles. C'est à Bruxelles qu'elle épouse François Prosper Lanchantin, dit Valmore, acteur comme elle.*

*Après une vie nomade durant plus de vingt ans, le couple s'installe à Paris, avec ses trois enfants. Protégée par Mme Récamier, Marceline commence à connaître un succès littéraire mérité avec ses poèmes, succès avalisé par de grands noms tels Lamartine, Vigny, Hugo. Elle fait éditer* Poésies, Les pleurs, Bouquets et Prières, *ainsi que plusieurs recueils de contes en prose.*

*Brisée par une existence où la misère, les deuils, les épreuves furent son pain quotidien, elle s'éteint, seule et presque oubliée, en 1859.*

*Pour ses trois enfants, elle écrivit de petits contes moralisateurs pleins de délicatesse et de sensibilité dont* La petite amateur de crème *est un parfait exemple.*

*Illustration :* Maurin.

Une laiterie fraîche et propre était ouverte sur le grand jardin où Félicité se promenait et où Félicité s'ennuyait ; car il n'y avait plus alors ni fruits ni fleurs dans le grand jardin, et Félicité, qui avait cinq ans, aurait voulu qu'il y eût toujours des fruits et des fleurs.

Sautant sur un pied, puis sur l'autre, pour faire du bruit dans les feuilles sèches, et ne s'amusant pas du tout de cette aride musique, elle entra dans la chambre solitaire, où l'odeur de laitage et de crème lui fit venir l'eau à la bouche, ce qui dégénéra en une mauvaise pensée !

Au lieu d'attendre et de dire : « Ma tante (Félicité était chez sa tante), voulez-vous me donner un peu de ce bon lait qui sent si bon ? » ce que sa tante eût fait avec tendresse, car elle était, comme beaucoup de tantes, remplie d'amour pour les enfants ; eh bien ! non : Félicité aima mieux se préparer un long ennui ; car une faute trouble bien des jours, quand même ils seraient pleins de soleil, pleins de fleurs, et d'aventures merveilleuses.

Félicité traîna audacieusement une table sous la longue planche où reposaient les vases pleins de lait, quelques-uns en terre, quelques autres en cuivre brillant comme de l'or. Il est certain que cette exquise propreté ravissait les yeux en les attirant.

Après quelques efforts et par le secours d'une chaise, elle se trouva sur la table, les bras tendus et la tête levée, comme un petit chat trop faible pour sauter et atteindre une proie éloignée. Comme par un avertissement du Ciel, qui laisse toujours le temps de la réflexion avant de commettre le mal, elle en était encore, comme on dit, à une lieue ; mais elle fit la sourde et ne voulut pas entendre sa conscience lui crier tout bas : « Va-t'en, Félicité ! va-t'en ! »

Elle resta, redescendit de la table, parvint, avec un travail qui redoublait sa soif, à poser cette lourde chaise de campagne sur la table déjà bien haute, et mit encore par-dessus un escabeau qui servait à traire les vaches. C'était comme une montagne, un vrai mât de cocagne, car la crème était au bout !

Elle monte intrépide sur cet échafaudage, et dans l'impossibilité de boire aux vases immobiles comme des témoins désapprobateurs, puisqu'il faut l'avouer à la honte de cette friande, elle y plonge ses deux bras enhardis, les en retire comme si elle eût mis des gants blancs, tant la crème était épaisse, et elle y promène ses lèvres avec délices.

Certes, c'est une action qui fait rougir pour Félicité.

Elle retournait pour la troisième fois à ce bonheur désespéré et s'y délectait dans une profonde imprévoyance, quand une voix, qu'elle crut être celle du jugement dernier, dit avec précaution et lenteur pour ne pas la faire tomber en arrière et se tuer peut-être :
– Bien, Félicité, très bien !

Félicité, saisie d'épouvante, retira ses bras avec tant de précipitation qu'elle entraîna violemment le vaste pot de cuivre où se formait la crème, lequel, renversé sur sa tête blonde, y entra jusqu'à ses épaules.

Sa généreuse tante en eut pitié. La voyant chanceler sous le double poids de son repentir et du chaudron de cuivre, elle la recueillit dans ses bras, trempée comme d'un naufrage, coiffée de ce vilain bonnet qui la couvrait, je vous assure, de plus de honte encore que de lait.

Ce n'est pas tout ; c'est rarement tout quand il s'agit d'expiation et de regret : ses petits cousins entrèrent et se mirent à crier contre elle « Ah ! Ah ! Félicité... Ah ! ah ! Félicité ! ». Les genoux de Félicité tremblaient, et la punition était bien grande !

On la conduisit, avec quelques égards cependant, on en doit même au coupable qui ne peut se défendre ; on la conduisit jusqu'à la porte de la rue, où les passants se demandaient : « Pourquoi cette petite fille a-t-elle un si grand pot de cuivre sur la tête ? »

Un triste et humiliant silence suivait cette question qu'elle entendait sous l'espèce de prison sonore où bruissaient les paroles que l'air y faisait entrer, et l'on s'en allait pour en causer par la ville.

Sa tante, qui avait défendu à ses petits cousins de renouveler le charivari, eut la bonté de ne lever sa coiffure que lorsqu'elle fut rentrée tout au fond de la maison, afin que personne au moins ne vît son doux visage, si blanc de crème et si rouge de honte, que je n'essaye pas de vous le peindre.

Félicité, dont le cœur était près d'éclater d'amertume, et pourtant de reconnaissance envers son juge, ne put qu'articuler au milieu d'un sanglot : « O ma tante ! » Sa tante n'en reparla jamais. Cela s'est répandu sourdement, et je vous le raconte, non pas en haine de Félicité, qui attendit toujours depuis que Dieu lui envoyât le bonheur, au lieu de le prendre ainsi à l'assaut : je vous le raconte pour vous engager instamment à profiter de cet exemple, afin d'en éviter la punition.

> Notre conscience est notre plus intime amie,
> C'est elle qui fait notre lit,
> et qui couche avec nous jusqu'à la mort.

Quand on ne peut pas dire en face : Bonsoir, ma conscience !
on dort mal.

# LA PETITE SOURIS GRISE

COMTESSE SOPHIE DE SÉGUR, née Sofica Rostopchine. Née le 19 juillet 1799 à Saint-Pétersbourg, morte le 31 janvier 1874 à Paris.

*Fille du conte Rostopchine, ministre du tsar Paul I$^{er}$, Sophie passe son enfance à Moscou. Son père étant tombé en disgrâce, elle se rend en France avec toute sa famille en 1817. Elle y épouse le très séduisant comte Eugène de Ségur. Quelque peu délaissée par son mari, elle achète un domaine en Normandie, la terre des Nouettes, et s'y installe pour se consacrer entièrement à ses sept enfants.*

*C'est pour distraire ses petits-enfants qu'elle se met à écrire ces « compositions nigaudes »,* comme elle les appelait, dont les premières, rassemblées en volume, devinrent les Nouveaux contes de fées *(1857), suivis des* Mémoires d'un âne, *des* Malheurs de Sophie, *des* Petites filles modèles, *du* Général Dourakine *et de tant d'autres histoires charmantes et divertissantes.*

La petite souris grise *fait partie des récits publiés dans les* Nouveaux contes de fées.

*Illustration :* G. Doré.

# I

## LA MAISONNETTE

Il y avait un homme veuf qui s'appelait Prudent et qui vivait avec sa fille. Sa femme était morte peu de jours après la naissance de cette fille, qui s'appelait Rosalie.

Le père de Rosalie avait de la fortune ; il vivait dans une grande maison qui était à lui : la maison était entourée d'un vaste jardin où Rosalie allait se promener tant qu'elle voulait.

Elle était élevée avec tendresse et douceur, mais son père l'avait habituée à une obéissance sans réplique. Il lui défendait d'adresser des questions inutiles et d'insister pour savoir ce qu'il ne voulait pas lui dire. Il était parvenu, à force de soin et de surveillance, à presque déraciner en elle un défaut malheureusement trop commun, la curiosité.

Rosalie ne sortait jamais du parc, qui était entouré de murs élevés. Jamais elle ne voyait personne que son père ; il n'y avait aucun domestique dans la maison ; tout semblait s'y faire de soi-même ; Rosalie avait toujours ce qu'il lui fallait, soit en vêtements, soit en livres, soit en ouvrages ou en joujoux. Son père l'élevait lui-même, et Rosalie, quoiqu'elle eût près de quinze ans, ne s'ennuyait pas et ne songeait pas qu'elle pouvait vivre autement et entourée de monde.

Il y avait au fond du parc une maisonnette sans fenêtres et qui n'avait qu'une seule porte, toujours fermée. Le père de Rosalie y entrait tous les jours, et en portait toujours sur lui la clef ; Rosalie croyait que c'était une cabane pour enfermer les outils du jardin ; elle n'avait jamais songé à en parler. Un jour qu'elle cherchait un arrosoir pour ses fleurs, elle dit à son père :

« Mon père, donnez-moi, je vous prie, la clef de la maisonnette du jardin.

– Que veux-tu faire de cette clef, Rosalie ?

– J'ai besoin d'un arrosoir ; je pense que j'en trouverai un dans cette maisonnette.

– Non, Rosalie, il n'y a pas d'arrosoir là-dedans. »

La voix de Prudent était si altérée en prononçant ces mots, que Rosalie le regarda et vit avec surprise qu'il était pâle et que la sueur inondait son front.

« Qu'avez-vous, mon père ? dit Rosalie effrayée.

– Rien, ma fille, rien.

– C'est la demande de cette clef qui vous a bouleversé, mon père : qu'y a-t-il donc dans cette maison, qui vous cause une telle frayeur ?

– Rosalie, tu ne sais ce que tu dis : va chercher ton arrosoir dans la serre.

– Mais, mon père, qu'y a-t-il dans cette maisonnette ?

– Rien qui puisse t'intéresser, Rosalie.

– Mais pourquoi y allez-vous tous les jours sans jamais me permettre de vous accompagner ?

– Rosalie, tu sais que je n'aime pas les questions, et que la curiosité est un vilain défaut. »

Rosalie ne dit plus rien, mais elle resta pensive. Cette maisonnette, à laquelle elle n'avait jamais songé, lui trottait dans la tête.

« Que peut-il y avoir là-dedans ? se disait-elle. Comme mon père a pâli quand j'ai demandé d'y entrer !... Il pensait donc que je courais quelque danger en y allant !... Mais pourquoi lui-même y va-t-il tous les jours ?... C'est sans doute pour porter à manger à la bête féroce qui s'y trouve renfermée... Mais s'il y avait une bête féroce, je l'entendrais rugir ou s'agiter dans sa prison ; jamais on n'entend aucun bruit dans cette cabane ; ce n'est donc pas une bête ! D'ailleurs, elle dévorerait mon père quand il y va..., à moins qu'elle ne soit attachée... Mais si elle est attachée, il n'y a pas de danger pour moi non plus. Qu'est-ce que cela peut être ?... Un prisonnier !... Mais mon père est bon ; il ne voudrait pas priver d'air et de liberté un malheureux innocent !... Il faudra absolument que je découvre ce mystère... Comment faire ?... Si je pouvais soustraire à mon père cette clef, seulement pour une demi-heure ! Peut-être l'oubliera-t-il un jour... »

Elle fut tirée de ses réflexions par son père, qui l'appelait d'une voix altérée.

« Me voici, mon père ; je rentre. »

Elle rentra en effet et examina son père, dont le visage pâle et défait indiquait une vive agitation. Plus intriguée encore, elle résolut de feindre la gaieté et l'insouciance pour donner de la sécurité à son père, et arriver ainsi à s'emparer de la clef, à laquelle il ne penserait peut-être pas toujours si Rosalie avait l'air de n'y plus songer elle-même.

Ils se mirent à table ; Prudent mangea peu, et fut silencieux et triste, malgré ses efforts pour paraître gai. Rosalie montra une telle gaieté, une telle insouciance, que son père finit par retrouver sa tranquillité accoutumée.

Rosalie devait avoir quinze ans dans trois semaines ; son père lui avait promis pour sa fête une agréable surprise. Quelques jours se passèrent ; il n'y en avait plus que quinze à attendre.

Un matin, Prudent dit à Rosalie :

« Ma chère enfant, je suis obligé de m'absenter pour une heure. C'est pour tes quinze ans que je dois sortir. Attends-moi dans la maison, et, crois-moi, ma Rosalie, ne te laisse pas aller à la curiosité. Dans quinze jours tu sauras ce que tu désires tant savoir, car je lis dans ta pensée ; je sais ce qui t'occupe. Adieu, ma fille, garde-toi de la curiosité. »

Prudent embrassa tendrement sa fille et s'éloigna comme s'il avait de la répugnance à la quitter.

Quand il fut parti, Rosalie courut à la chambre de son père, et quelle fut sa joie en voyant la clef oubliée sur la table !

Elle la saisit et courut bien vite au bout du parc ; arrivée à la maisonnette, elle se souvint des paroles de son père : *Garde-toi de la curiosité ;* elle hésita et fut sur le point de reporter la clef sans avoir regardé dans la maisonnette, lorsqu'elle entendit sortir un léger gémissement ; elle colla son oreille contre la porte et entendit une toute petite voix qui chantait doucement :

Je suis prisonnière
Et seule sur la terre
Bientôt je vais mourir,
D'ici jamais sortir.

« Plus de doute, se dit-elle ; c'est une malheureuse créature que mon père tient enfermée. »

Et, frappant doucement à la porte, elle dit :

« Qui êtes-vous et que puis-je faire pour vous ?

– Ouvrez-moi, Rosalie ; de grâce, ouvrez-moi.

– Mais pourquoi êtes-vous prisonnière ? N'avez-vous pas commis quelque crime ?

– Hélas ! non, Rosalie ; c'est un enchanteur qui me retient ici. Sauvez-moi, et je vous témoignerai ma reconnaissance en vous racontant ce que je suis. »

Rosalie n'hésita plus, sa curiosité l'emporta sur son obéissance ; elle mit la clef dans la serrure, mais sa main tremblait et elle ne pouvait ouvrir ; elle allait y renoncer, lorsque la petite voix continua :

« Rosalie, ce que j'ai à vous dire vous instruira de bien des choses qui vous intéressent ; votre père n'est pas ce qu'il paraît être. »

A ces mots, Rosalie fit un dernier effort ; la clef tourna et la porte s'ouvrit.

II

LA FÉE DÉTESTABLE

Rosalie regarda avidemment ; la maisonnette était sombre ; elle ne voyait rien ; elle entendit la petite voix qui dit :

« Merci, Rosalie, c'est à toi que je dois ma délivrance. »

La voix semblait venir de terre ; elle regarda et aperçut dans un coin deux petits yeux brillants qui la regardaient avec malice.

« Ma ruse a réussi, Rosalie, pour te faire céder à ta curiosité. Si je n'avais chanté et parlé, tu t'en serais retournée et j'étais perdue. Maintenant que tu m'as délivrée, toi et ton père vous êtes en mon pouvoir. »

Rosalie, sans bien comprendre encore l'étendue du malheur qu'elle avait causé pas sa désobéissance, devina pourtant que c'était une ennemie dangereuse que son père retenait captive, et elle voulut se retirer et fermer la porte.

« Halte-là, Rosalie, il n'est plus de ton pouvoir de me retenir dans cette odieuse prison, d'où je ne serais jamais sortie si tu avais attendu tes quinze ans. »

Au même moment la maisonnette disparut ; la clef seule resta dans les mains de Rosalie, consternée. Elle vit alors près d'elle une petite Souris grise qui la regardait avec ses petits yeux étincelants et qui se mit à rire d'une petite voix discordante.

« Hi ! hi ! hi ! quel air effaré tu as, Rosalie ! En vérité, tu m'amuses énormément. Que tu es donc gentille d'avoir été si curieuse ! Voilà près de quinze ans que je suis enfermée dans cette affreuse prison, ne pouvant faire du mal à ton père, que je hais, et à toi que je déteste parce que tu es sa fille.

– Et qui êtes-vous donc, méchante Souris ?

– Je suis l'ennemie de ta famille, ma mie ! Je m'appelle la fée Détestable, et je porte bien mon nom, je t'assure ; tout le monde me déteste et je déteste tout le monde. Je te suivrai partout, Rosalie.

– Laissez-moi, misérable ! une Souris n'est pas bien à craindre, et je trouverai bien moyen de me débarrasser de vous.

– C'est ce que nous verrons, ma mie ; je m'attache à vos pas partout où vous irez. »

Rosalie courut du côté de la maison ; chaque fois qu'elle se retournait, elle voyait la Souris qui galopait après elle en riant d'un air moqueur.

Arrivée dans la maison, elle voulut écraser la Souris dans la porte, mais la porte resta ouverte malgré les efforts de Rosalie, tandis que la Souris restait sur le seuil.

« Attends, méchante bête ! » s'écria Rosalie, hors d'elle de colère et d'effroi.

Elle saisit un balai et allait en donner un coup violent à la Souris, lorsque le balai devint flamboyant et lui brûla les mains ; elle le jeta vite à terre et le poussa du pied dans la cheminée pour que le plancher ne prît pas feu. Alors, saisissant un chaudron qui bouillait au feu, elle le jeta sur la Souris ; mais l'eau bouillante était devenue du bon lait frais ; la Souris se mit à boire en disant :

« Que tu es aimable, Rosalie ! non contente de m'avoir délivrée, tu me donnes un excellent déjeuner ! »

La pauvre Rosalie se mit à pleurer amèrement ; elle ne savait que devenir, lorsqu'elle entendit son père qui rentrait.

« Mon père ! dit-elle, mon père ! Oh ! Souris, par pitié, va-t'en ! que mon père ne te voie pas !

– Je ne m'en irai pas, mais je veux bien me cacher derrière tes talons, jusqu'à ce que ton père apprenne ta désobéissance. »

A peine la Souris était-elle blottie derrière Rosalie, que Prudent entra ; il regarda Rosalie, dont l'air embarrassé et la pâleur trahissaient l'effroi.

« Rosalie, dit Prudent d'une voix tremblante, j'ai oublié la clef de la maisonnette ; l'as-tu trouvée ?

– La voici, mon père, dit Rosalie en la lui présentant et devenant très rouge.

– Qu'est-ce donc que cette crème renversée ?

– Mon père, c'est le chat.

– Comment, le chat ? Le chat a apporté au milieu de la chambre une chaudronnée de lait pour le répandre ?

– Non, mon père, c'est moi qui, en le portant, l'ai renversé. » Rosalie parlait bien bas et n'osait pas regarder son père.

« Prends le balai, Rosalie, pour enlever cette crème.

– Il n'y a plus de balai, mon père.

– Plus de balai ! Il y en avait un quand je suis sorti.

– Je l'ai brûlé, mon père, par mégarde, en..., en... »

Elle s'arrêta. Son père la regarda fixement, jeta un coup d'œil inquiet autour de la chambre, soupira et se dirigea lentement vers la maisonnette du parc.

Rosalie tomba sur une chaise en sanglotant ; la Souris ne bougeait pas. Peu d'instants après, Prudent rentra précipitamment, le visage bouleversé d'effroi.

« Rosalie, malheureuse enfant, qu'as-tu fait ? Tu as cédé à ta fatale curiosité, et tu as délivré notre plus cruelle ennemie.

– Mon père, pardonnez-moi, pardonnez-moi, s'écria Rosalie en se jetant à ses pieds ; j'ignorais le mal que je faisais.

– C'est ce qui arrive toujours quand on désobéit, Rosalie : on croit ne faire qu'un petit mal, et on en fait un très grand à soi et aux autres.

– Mais, mon père, qu'est-ce donc que cette Souris qui vous cause une si grande frayeur ? Comment, si elle a tant de pouvoir, la reteniez-vous prisonnière, et pourquoi ne pouvez-vous pas la renfermer de nouveau ?

– Cette Souris, ma fille, est une fée méchante et puissante ; moi-même je suis le génie Prudent, et puisque tu as délivré mon ennemie, je puis te révéler ce que je devais te cacher jusqu'à l'âge de quinze ans.

« Je suis donc, comme je te le disais, le génie Prudent ; ta mère n'était qu'une simple mortelle ; mais ses vertus et sa beauté touchèrent la reine des fées aussi bien que le roi des génies, et ils me permirent de l'épouser.

« Je donnai de grandes fêtes pour mon mariage ; malheureusement j'oubliai d'y convoquer la fée Détestable, qui, déjà irritée de me voir épouser une princesse, après mon refus d'épouser une de ses filles, me jura une haine implacable ainsi qu'à ma femme et à mes enfants.

« Je ne m'effrayai pas de ses menaces, parce que j'avais moi-même une puissance presque égale à la sienne, et que j'étais fort aimé de la reine des fées. Plusieurs fois j'empêchai par mes enchantements l'effet de la haine de Détestable. Mais, peu d'heures après ta naissance, ta mère ressentit des douleurs très vives, que je ne pus calmer ; je m'absentai un instant pour invoquer le secours de la reine des fées. Quand je revins, ta mère n'existait plus : la méchante fée avait profité de mon absence pour la faire mourir, et elle allait te douer de tous les vices et de tous les maux possibles ; heureusement que mon retour paralysa sa méchanceté. Je l'arrêtai au moment où elle venait de te douer d'une curiosité qui devait faire ton malheur et te mettre à quinze ans sous son entière dépendance. Par mon pouvoir uni à celui de la reine des fées, je contrebalançai cette fatale influence, et nous décidâmes que tu ne tomberais à quinze ans en son pouvoir que si tu succombais trois fois à ta curiosité dans des circonstances graves. En même temps la reine des fées, pour punir Détestable, la changea en souris, l'enferma dans la maisonnette que tu as vue, et déclara qu'elle ne pourrait pas en sortir, Rosalie, à moins que tu ne lui en ouvrisses volontairement la porte ; qu'elle ne pourrait reprendre sa première forme de fée que si tu succombais trois fois à ta curiosité avant l'âge de quinze ans ; enfin, que si tu résistais au moins une fois à ce funeste penchant, tu serais à jamais affranchie, ainsi que moi, du pouvoir de Détestable. Je n'obtins toutes ces faveurs qu'à grand-peine, Rosalie, et en promettant que je partagerais ton sort et que je deviendrais comme toi l'esclave de Détestable si tu te laissais aller trois fois à ta curiosité. Je me promis de t'élever de manière à détruire en toi ce fatal défaut, qui pouvait causer tant de malheurs.

« C'est pour cela que je t'enfermai dans cette enceinte ; que je ne te permis jamais de voir aucun de tes semblables, pas même de domestiques. Je te procurais par mon pouvoir tout ce que tu pouvais désirer, et déjà je m'applaudissais d'avoir si bien réussi ; dans trois semaines tu devais avoir quinze ans, et te trouver à jamais délivrée du joug odieux de Détestable, lorsque tu me demandas cette clef à laquelle tu semblais n'avoir jamais pensé. Je ne pus te cacher l'impression douloureuse que fit sur moi cette demande ; mon trouble excita ta curiosité ; malgré ta gaieté, ton insouciance factice, je pénétrai dans ta pensée, et juge de ma douleur quand la reine des fée m'ordonna de te rendre la tentation possible et la résistance méritoire, en laissant ma clef à ta portée au moins une fois ! Je dus la laisser, cette clef fatale, et te faciliter, par mon absence, les moyens de succomber ; imagine, Rosalie, ce que je souffris pendant l'heure que je dus te laisser seule, et quand je vis à mon retour ton embarras et ta rougeur, qui ne m'indiquaient que trop que tu n'avais pas eu le courage de résister. Je devais tout te cacher et ne t'instruire de ta naissance et des dangers que tu avais courus que le jour où tu aurais quinze ans, sous peine de te voir tomber au pouvoir de Détestable.

« Et maintenant, Rosalie, tout n'est pas perdu ; tu peux encore racheter ta faute en résistant pendant quinze jours à ton funeste penchant. Tu devais être unie à quinze ans à un charmant prince de nos parents, le prince Gracieux ; cette union est encore possible.

« Ah ! Rosalie, ma chère enfant ; par pitié pour toi, si ce n'est pas pour moi, aie du courage et résiste. »

Rosalie était restée aux genoux de son père, le visage caché dans ses mains et pleurant amèrement ; à ces dernières paroles, elle reprit un peu de courage, et, l'embrassant tendrement, elle lui dit :

« Oui, mon père, je vous le jure, je réparerai ma faute ; ne me quittez pas, mon père, et je chercherai près de vous le courage qui pourrait me manquer si j'étais privée de votre sage et paternelle surveillance.

– Ah ! Rosalie, il n'est plus en mon pouvoir de rester près de toi ; je suis sous la puissance de mon ennemie ; elle ne me permettra sans doute pas de rester pour te prémunir contre les pièges que te tendra sa méchanceté. Je m'étonne de ne l'avoir pas encore vue, car le spectacle de mon affliction doit avoir pour elle de la douceur.

– J'étais près de toi aux pieds de ta fille, dit la Souris grise de sa petite voix aigre, en se montrant au malheureux génie. Je me suis amusée au récit de ce que je t'ai déjà fait souffrir, et c'est ce qui fait que je ne me suis pas montrée plus tôt. Dis adieu à ta chère Rosalie ; je l'emmène avec moi, et je te défends de la suivre. »

En disant ces mots, elle saisit, avec ses petites dents aiguës, le bas de la robe de Rosalie, pour l'entraîner après elle. Rosalie poussa des cris percants en se cramponnant a son père ; une force irrésistible l'entraînait. L'infortuné génie saisit un bâton et le leva sur la Souris ; mais, avant qu'il eût le temps de l'abaisser, la Souris posa sa petite patte sur le pied du génie, qui resta immobile et semblable à une statue. Rosalie tenait embrassés les genoux de son père et criait grâce à la Souris ; mais celle-ci, riant de son petit rire aigu et diabolique, lui dit :

« Venez, venez, ma mie, ce n'est pas ici que vous trouveriez de quoi succomber deux autres fois à votre gentil défaut ; nous allons courir le monde ensemble, et je vous ferai voir du pays en quinze jours. »

La Souris tirait toujours Rosalie, dont les bras, enlacés autour de son père, résistaient à la force extraordinaire qu'employait son ennemie. Alors la Souris poussa un petit cri discordant, et subitement toute la maison fut en flammes. Rosalie eut assez de présence d'esprit pour réfléchir qu'en se laissant brûler elle perdrait tout moyen de sauver son père, qui resterait éternellement sous le pouvoir de Détestable, tandis qu'en conservant sa propre vie, elle conservait aussi les chances de le sauver.

« Adieu, mon père ! s'écria-t-elle ; au revoir dans quinze jours ! Votre Rosalie vous sauvera après vous avoir perdu. »

Et elle s'échappa pour ne pas être dévorée par les flammes.

Elle courut quelque temps, ne sachant où elle allait ; elle marcha ainsi plusieurs heures ; enfin, accablée de fatigue, demi-morte de faim, elle se hasarda à aborder une bonne femme qui était assise à sa porte.

« Madame, dit-elle, veuillez me donner asile ; je meurs de faim et de fatigue ; permettez-moi d'entrer et de passer la nuit chez vous.

– Comment une si belle fille se trouve-t-elle sur les grandes routes, et qu'est-ce que cette bête qui vous accompagne et qui a la mine d'un petit démon ? »

Rosalie, se retournant, vit la Souris grise qui la regardait d'un air moqueur.

Elle voulut la chasser, mais la Souris refusait obstinément de s'en aller. La bonne femme, voyant cette lutte, hocha la tête et dit :

« Passez votre chemin, la belle : je ne loge pas chez moi le diable et ses protégés. »

Rosalie continua sa route en pleurant, et partout où elle se présenta, on refusa de la recevoir avec la Souris qui ne la quittait pas. Elle entra dans une forêt où elle trouva heureusement un ruisseau pour étancher sa soif, des fruits et des noisettes en abondance ; elle but, mangea, et s'assit près d'un arbre, pensant avec inquiétude à son père et à ce qu'elle deviendrait pendant quinze jours. Tout en réfléchissant, Rosalie, pour ne pas voir la maudite Souris grise, ferma les yeux ; la fatigue et l'obscurité amenèrent le sommeil : elle s'endormit profondément.

III

LE PRINCE GRACIEUX

Pendant que Rosalie dormait, le prince Gracieux faisait une chasse aux flambeaux dans la forêt ; le cerf, vivement poursuivi par les chiens, vint se blottir effaré près du buisson où dormait Rosalie. La meute et les chasseurs s'élancèrent après le cerf ; mais tout d'un coup les chiens cessèrent d'aboyer et se groupèrent silencieux autour de Rosalie. Le prince descendit de cheval pour remettre les chiens en chasse. Quelle ne fut pas sa surprise en apercevant une belle jeune fille qui dormait paisiblement dans cette forêt ! Il regarda autour d'elle et ne vit personne ; elle était seule, abandonnée. En l'examinant de plus près, il vit la trace des larmes qu'elle avait répandues et qui s'échappaient encore de ses yeux fermés. Rosalie était vêtue simplement, mais d'une étoffe de soie qui dénotait plus que de l'aisance ; ses jolies mains blanches, ses ongles roses, ses beaux cheveux châtains, soigneusement relevés par un peigne d'or, sa chaussure élégante, un collier de perles fines indiquaient un rang élevé.

Elle ne s'éveillait pas, malgré le piétinement des chevaux, les aboiements des chiens, le tumulte d'une nombreuse réunion d'hommes. Le prine, stupéfait, ne se lassait pas de regarder Rosalie ; aucune des personnes de la Cour ne la connaissait. Inquiet de ce sommeil obstiné, Gracieux lui prit doucement la main : Rosalie dormait toujours ; le prince secoua légèrement cette main, mais sans pouvoir l'éveiller.

« Je ne puis, dit-il à ses officiers, abandonner ainsi cette malheureuse enfant, qui aura peut-être été égarée à dessein, victime de quelque odieuse méchanceté. Mais comment l'emporter endormie ?

– Prince, lui dit son grand veneur Hubert, ne pourrions-nous faire un brancard de branchages et la porter ainsi dans quelque hôtellerie voisine, pendant que Votre Altesse continuera la chasse ?

– Votre idée est bonne, Hubert ; faites faire un brancard sur lequel nous la déposerons ; mais ce n'est pas à une hôtellerie que vous la porterez, c'est dans mon propre palais. Cette jeune personne doit être de haute naissance, elle est belle comme un ange ; je veux veiller moi-même à ce qu'elle recoive les soins auxquels elle a droit. »

Hubert et les officiers eurent bientôt arrangé un brancard sur lequel le prince étendit son propre manteau ; puis, s'approchant de Rosalie toujours endormie, il l'enleva doucement dans ses bras et la posa sur le manteau. A ce moment, Rosalie sembla rêver ; elle sourit et murmura à mi-voix : « Mon père, mon père !... sauvé à jamais !... la reine des fées..., le prince Gracieux..., je le vois..., qu'il est beau ! »

Le prince, surpris d'entendre prononcer son nom, ne douta plus que Rosalie ne fût une princesse sous le joug de quelque enchantement. Il fit marcher bien doucement les porteurs du brancard, afin que le mouvement n'éveillât pas Rosalie ; il se tint tout le temps à ses côtés.

On arriva au palais de Gracieux ; il donna des ordres pour qu'on préparât l'appartement de la reine, et, ne voulant pas souffrir que personne touchât à Rosalie, il la porta lui-même jusqu'à sa chambre, où il la posa sur un lit, en recommandant aux femmes qui devaient la servir de le prévenir aussitôt qu'elle serait réveillée.

Rosalie dormit jusqu'au lendemain ; il faisait grand jour quand elle s'éveilla ; elle regarda autour d'elle avec surprise : la méchante Souris n'était pas près d'elle ; elle avait disparu.

« Serais-je délivrée de cette méchante fée Détestable ? dit Rosalie avec joie ; suis-je chez quelque fée plus puissante qu'elle ? »

Elle alla à la fenêtre ; elle vit des hommes d'armes, des officiers parés de brillants uniformes. De plus en plus surprise, elle allait appeler un de ces hommes qu'elle croyait être autant de génies et d'enchanteurs, lorsqu'elle entendit marcher ; elle se retourna et vit le prince Gracieux, qui, revêtu d'un élégant et riche costume de chasse, était devant elle, la regardant avec admiration. Rosalie reconnut immédiatement le prince de son rêve, et s'écria involontairement :

« Le Prince Gracieux !

– Vous me connaissez, Madame ? dit le prince, étonné. Comment, si vous m'avez reconnu, ai-je pu, moi, oublier votre nom et vos traits ?

– Je ne vous ai vu qu'en rêve, prince, répondit Rosalie en rougissant ; quant à mon nom, vous ne pouvez le connaître, puisque moi-même je ne connais que depuis hier celui de mon père.

– Et quel est-il, Madame, ce nom qui vous a été caché si longtemps ? »

Rosalie lui raconta alors tout ce qu'elle avait appris de son père ; elle lui avoua naïvement sa coupable curiosité et les fatales conséquences qui s'en étaient suivies.

« Jugez de ma douleur, prince, quand je dus quitter mon père pour me soustraire aux flammes que la méchante fée avait allumées, quand, repoussée de partout à cause de la Souris grise, je me trouvai exposée à mourir de froid et de faim ! Mais bientôt un sommeil lourd et plein de rêves s'empara de moi ; j'ignore comment je suis ici et si c'est chez vous que je me trouve. »

Gracieux lui raconta comment il l'avait trouvée endormie dans la forêt, les paroles de son rêve qu'il avait entendues, et il ajouta :

« Ce que votre père ne vous a pas dit, Rosalie, c'est que la reine des fées, notre parente, avait décidé que vous seriez ma femme lorsque vous auriez quinze ans ; c'est elle sans doute qui m'a inspiré le désir d'aller chasser aux flambeaux, afin que je puisse vous trouver dans cette forêt où vous étiez perdue. Puisque vous aurez quinze ans dans peu de jours, Rosalie, daignez considérer mon palais comme le vôtre ; veuillez d'avance y commander en reine. Bientôt votre père vous sera rendu, et nous pourrons aller faire célébrer notre mariage. »

Rosalie remercia vivement son jeune et beau cousin ; elle passa dans sa chambre de toilette, où elle trouva des femmes qui l'attendaient avec un grand choix de robes et de coiffures. Rosalie, qui ne s'était jamais occupée de sa toilette, mit la première robe qu'on lui présenta, qui était en gaze rose garnie de dentelles, et une coiffure en dentelles avec des roses moussues ; ses beaux cheveux châtains furent relevés en tresse formant une couronne. Quand elle fut prête, le prince vint la chercher pour la mener déjeuner.

Rosalie mangea comme une personne qui n'a pas dîné la veille ; après le repas, le prince la mena dans le jardin ; il lui fit voir les serres, qui étaient magnifiques ; au bout d'une des serres, il y avait une petite rotonde garnie de fleurs choisies ; au milieu était une caisse qui semblait contenir un arbre, mais une toile cousue l'enveloppait entièrement ; on voyait seulement à travers la toile quelques points briller d'un éclat extraordinaire.

IV

### L'ARBRE DE LA ROTONDE

Rosalie admira beaucoup toutes les fleurs ; elle croyait que le prince allait soulever ou déchirer la toile de cet arbre mystérieux, mais il se disposa à quitter la serre sans en avoir parlé à Rosalie.

« Qu'est-ce donc que cet arbre si bien enveloppé, prince ? demanda Rosalie.

– Ceci est le cadeau de noces que je vous destine ; mais vous ne devez pas le voir avant vos quinze ans, dit le prince gaiement.

– Mais qu'y a-t-il de si brillant sous la toile ? insista Rosalie.

– Vous le saurez dans peu de jours, Rosalie, et je me flatte que mon présent ne sera pas un présent ordinaire.

– Et ne puis-je le voir avant ?

– Non, Rosalie ; la reine des fées m'a défendu de vous le montrer avant que vous soyez ma femme, sous peine de grands malheurs. J'ose espérer que vous m'aimerez assez pour contenir pendant quelques jours votre curiosité. »

Ces derniers mots firent trembler Rosalie, en lui rappelant la Souris grise et les malheurs qui la menaçaient ainsi que son père si elle se laissait aller à la tentation qui lui était sans doute envoyée par son ennemie, la fée Détestable. Elle ne parla donc plus de cette toile mystérieuse, et elle continua sa promenade avec le prince ; toute la journée se passa agréablement. Le prince lui présenta les dames de sa cour, et leur dit à toutes qu'elles eussent à respecter dans la princesse Rosalie l'épouse que lui avait choisie la reine des fées. Rosalie fut très aimable pour tout le monde, et chacun se réjouit de l'idée d'avoir une si charmante reine. Le lendemain et les jours suivants se passèrent en fêtes, en chasses, en promenades, le prince et Rosalie voyaient approcher avec bonheur le jour de la naissance de Rosalie, qui devait être aussi celui de leur mariage ; le prince, parce qu'il aimait tendrement sa cousine, et Rosalie, parce qu'elle aimait le prince, parce qu'elle désirait vivement revoir son père, et aussi parce qu'elle souhaitait ardemment voir ce que contenait la caisse de la rotonde. Elle y pensait sans cesse ; la nuit elle y rêvait, et, dans les moments où elle était seule, elle avait une peine extrême à ne pas aller dans les serres, pour tâcher de découvrir le mystère.

Enfin arriva le dernier jour d'attente : le lendemain, Rosalie devait avoir quinze ans. Le prince était très occupé des préparatifs de son mariage, auquel devaient assister toutes les bonnes fées de sa connaissance et la reine des fées. Rosalie se trouva seule dans la matinée ; elle alla se promener, et, tout en réfléchissant au bonheur du lendemain, elle se dirigea machinalement vers la rotonde ; elle y entra pensive et souriante, et se trouva en face de la toile qui recouvrait le trésor.

« C'est demain, dit-elle, que je dois enfin savoir ce que renferme cette toile... Si je voulais, je pourrais bien le savoir dès aujourd'hui, car j'aperçois quelques petites ouvertures dans lesquelles j'introdui-rais facilement les doigts... et en tirant un peu dessus... Au fait, qui est-ce qui le saurait ? Je rapprocherais la toile après y avoir un peu regardé... Puisque ce doit être à moi demain, je puis bien y jeter un coup d'œil aujourd'hui. »

Elle regarda autour d'elle, ne vit personne, et, oubliant entière-ment, dans son désir extrême de satisfaire sa curiosité, la bonté du prince et les dangers qui les menaçaient si elle cédait à la tentation, elle passa ses doigts dans une des ouvertures, tira légèrement : la toile se déchira du haut en bas avc un bruit semblable au tonnerre, et offrit aux yeux étonnés de Rosalie un arbre dont la tige était en corail et les feuilles en émeraudes ; les fruits qui couvraient l'arbre étaient des pierres précieuses de toutes couleurs, diamants, perles, rubis, saphirs, opales, topazes, etc., aussi gros que les fruits qu'ils représentaient, et d'un tel éclat que Rosalie en fut éblouie. Mais à peine avait-elle envisagé cet arbre sans pareil, qu'un bruit plus fort que le premier la tira de son extase : elle se sentit enlever et transporter dans une plaine, d'où elle aperçut le palais du prince s'écroulant ; des cris effroyables sortaient des ruines du palais, et bientôt Rosalie vit le prince lui-même sortir des décombres, ensanglanté, couvert de haillons. Il s'avança vers elle et lui dit tristement :

« Rosalie, ingrate Rosalie, vois à quel état tu m'as réduit, moi et toute ma cour. Après ce que tu viens de faire, je ne doute pas que tu cèdes une troisième fois à ta curiosité, que tu consommes mon malheur, celui de ton père et le tien. Adieu, Rosalie, adieu ! Puisse le repentir expier ton ingratitude envers un malheureux prince qui t'aimait et qui ne voulait que ton bonheur ! »

En disant ces mots, il s'éloigna lentement. Rosalie s'était jetée à genoux ; inondée de larmes, elle l'appelait : mais il disparut à ses yeux, sans même se retourner pour contempler son désespoir. Elle était prête à s'évanouir, lorsqu'elle entendit le petit rire discordant de la Souris grise, qui était devant elle.

« Remercie-moi donc, Rosalie, de t'avoir si bien aidée. C'est moi qui t'envoyais la nuit ces beaux rêves de la toile mystérieuse ; c'est moi qui ai rongé la toile pour te faciliter les moyens d'y regarder ; sans cette dernière ruse, je crois bien que tu étais perdue pour moi, ainsi que ton père et ton prince Gracieux. Mais, encore une petite peccadille, ma mie, et vous serez à moi pour toujours. »

Et la Souris, dans sa joie infernale, se mit à danser autour de Rosalie ; ces paroles, toutes méchantes qu'elles étaient, n'excitèrent pas la colère de Rosalie.

« C'est ma faute, se dit-elle ; sans ma fatale curiosité, sans ma coupable ingratitude, la Souris grise n'aurait pas réussi à me faire commettre une si indigne action. Je dois l'expier par ma douleur, par ma patience et par la ferme volonté de résister à la troisième épreuve, quelque difficile qu'elle soit. D'ailleurs, je n'ai que quelques heures d'attente, et de moi dépendent, comme le disait mon cher prince, son bonheur, celui de mon père et le mien. »

Rosalie ne bougea donc pas ; la Souris grise avait beau employer tous les moyens possibles pour la faire marcher, Rosalie persista à rester en face des ruines du palais.


V

LA CASSETTE

Toute la journée se passa ainsi ; Rosalie souffrait cruellement de la soif.

« Ne dois-je pas souffrir bien plus encore, se disait-elle, pour me punir de ce que j'ai fait souffrir à mon père et à mon cousin ? J'attendrai ici mes quinze ans. »

La nuit commençait à tomber, quand une vieille femme, qui passait, s'approcha d'elle et lui dit :

« Ma belle enfant, voudriez-vous me rendre le service de me garder cette cassette qui est bien lourde à porter, pendant que je vais aller près d'ici voir une parente ?

– Volontiers, Madame », dit Rosalie, qui était très complaisante.

La vieille lui remit la cassette en disant :

« Merci, la belle enfant ; je ne serai pas longtemps absente. Ne regardez pas ce qu'il y a dans cette cassette, car elle contient des choses.., des choses comme vous n'en avez jamais vues... et comme vous n'en reverrez jamais. Ne la posez pas trop rudement, car elle est en écorce fragile, et un choc un peu rude pourrait la rompre... Et alors vous verriez ce qu'elle contient... Et personne ne doit voir ce qui s'y trouve enfermé. »

Elle partit en disant ces mots. Rosalie posa doucement la cassette près d'elle, et réfléchit à tous les événements qui s'étaient passés. La nuit vint tout à fait ; la vieille ne revenait pas ; Rosalie jeta les yeux sur la cassette, et vit avec surprise qu'elle éclairait la terre autour d'elle.

« Qu'est-ce, dit-elle, qui brille dans cette cassette ? »

Elle la retourna, la regarda de tous côtés, mais rien ne put lui expliquer cette lueur extraordinaire ; elle la posa de nouveau à terre, et dit :

« Que n'importe ce que contient cette cassette ? Elle n'est pas à moi, mais à la bonne vieille qui me l'a confiée. Je ne veux plus y penser, de crainte d'être tentée de l'ouvrir. »

En effet, elle ne la regarda plus et tâcha de n'y plus penser ; elle ferma les yeux, résolue d'attendre ainsi le retour du jour.

« Alors j'aurai quinze ans, je reverrai mon père et Gracieux, et je n'aurai plus rien à craindre de la méchante fée.

– Rosalie, Rosalie, dit précipitamment la petite voix de la Souris, me voici près de toi ; je ne suis plus ton ennemie, et pour te le prouver, je vais, si tu veux, te faire voir ce que contient la cassette. »

Rosalie ne répondit pas.

« Rosalie, tu n'entends donc pas ce que je te propose ? Je suis ton amie, crois-moi, de grâce. »

Pas de réponse.

Alors la Souris grise, qui n'avait pas de temps à perdre, s'élança sur la cassette et se mit en devoir d'en ronger le couvercle.

« Monstre, s'écria Rosalie en saisissant la cassette et la serrant contre sa poitrine, si tu as le malheur de toucher à cette cassette, je te tords le cou à l'instant ! »

La Souris lança à Rosalie un coup d'œil diabolique, mais elle n'osa pas braver sa colère. Pendant qu'elle combinait un moyen d'exciter la curiosité de Rosalie, une horloge sonna minuit. Au même moment, la Souris poussa un cri lugubre et dit à Rosalie :

« Rosalie, voici l'heure de ta naissance qui a sonné ; tu as quinze ans, tu n'as plus rien à craindre de moi ; tu es désormais hors de mon atteinte, ainsi que ton odieux père et ton affreux prince. Et moi je suis condamnée à garder mon ignoble forme de souris, jusqu'à ce que je parvienne à faire tomber dans mes pièges une jeune fille belle et bien née comme toi. Adieu, Rosalie ; tu peux maintenant ouvrir ta cassette. »

Et, en achevant ces mots, la Souris grise disparut.

Rosalie, se méfiant des paroles de son ennemie, ne voulut pas suivre son dernier conseil, et se résolut à garder la cassette intacte jusqu'au jour. A peine eut-elle pris cette résolution, qu'un Hibou qui volait au-dessus de Rosalie laissa tomber une pierre sur la cassette, qui se brisa en mille morceaux. Rosalie poussa un cri de terreur ; au même moment elle vit devant elle la reine des fées, qui lui dit :

« Venez, Rosalie ; vous avez triomphé de la cruelle ennemie de votre famille ; je vais vous rendre à votre père ; mais auparavant buvez et mangez. »

Et la fée lui présenta un fruit dont une seule bouchée rassasia et désaltéra Rosalie. Aussitôt un char attelé de deux dragons se trouva près de la fée, qui y monta et y fit monter Rosalie.

Rosalie, revenue de sa surprise, remercia vivement la fée de sa protection, et lui demanda si elle n'allait pas revoir son père et le prince Gracieux.

« Votre père vous attend dans le palais du prince.

– Mais, Madame, je croyais le palais du prince détruit, et lui-même blessé et réduit à la misère.

– Ce n'était qu'une illusion pour vous donner plus d'horreur de votre curiosité, Rosalie, et pour vous empêcher d'y succomber une troisième fois. Vous allez retrouver le palais du prince tel qu'il était avant que vous ayez déchiré la toile qui recouvrait l'arbre précieux qu'il vous destine. »

Comme la fée achevait ces mots, le char s'arrêta près du perron du palais. Le père de Rosalie et le prince l'attendaient avec toute la Cour. Rosalie se jeta dans les bras de son père et dans ceux du prince, qui n'eut pas l'air de se souvenir de sa faute de la veille. Tout était prêt pour la cérémonie du mariage, qu'on célébra immédiatement ; toutes les fées assistèrent aux fêtes, qui durèrent plusieurs jours. Le père de Rosalie vécut près de ses enfants. Rosalie fut à jamais guérie de sa curiosité ; elle fut tendrement aimée du prince Gracieux, qu'elle aima toute sa vie ; ils eurent de beaux enfants, et ils leur donnèrent pour marraines des fées puissantes, afin de les protéger contre les mauvaises fées et les mauvais génies.

# HISTOIRE
# DU VÉRITABLE GRIBOUILLE

GEORGE SAND. Née à Paris le 1ᵉʳ juillet 1804, morte le 8 juin 1876 à Nohant, dans le Berry.

*Fille d'un officier de l'armée impériale, Armandine Lucie Aurore Dupin est élevée par sa grand-mère, Mme Dupin. Elle connaît une enfance campagnarde, sans entrave, dans le domaine familial de Nohant. A treize ans, elle est pourtant envoyée à Paris pour y poursuivre son éducation dans un couvent qui l'accueille comme pensionnaire. On la marie à dix-huit ans au baron Dudevant. En 1831, elle quitte Nohant pour Paris où, parmi les intellectuels et les artistes du temps, elle mène une existence instable, fumant la pipe, portant des vêtements masculins, oubliant sa condition de femme mariée.*

*Devenue George Sand, elle publie un roman,* Indiana, *suivi de plusieurs autres.*

*Un temps, elle s'intéresse à la politique, mais, épouvantée par la répression de juin 1848, elle s'en éloigne et regagne Nohant. Sa rencontre avec Chopin en 1838 va correspondre à une période de stabilité, durant laquelle elle écrit ses romans les plus connus :* La mare au diable, La petite Fadette, François le Champi, Les maîtres sonneurs.

*Devenue « la bonne dame de Nohant », elle accueille ses amis écrivains, cultive son jardin, prend soin de ses petits-enfants, entretient de sympathiques relations avec les villageois.*

*C'est à Nohant, en 1850, qu'elle écrivit* L'histoire du véritable Gribouille, *un conte à part dans son œuvre, où la magie intervient pour modifier l'existence des bons comme des méchants.*

*Illustration* : M. Sand.

## Comment Gribouille
### se jeta dans la rivière
### par crainte de se mouiller

Il y avait une fois un père et une mère qui avaient un fils. Le fils s'appelait Gribouille, la mère s'appelait Brigoule et le père Bredouille. Le père et la mère avaient six autres enfants, trois garçons et trois filles, ce qui faisait sept, en comptant Gribouille qui était le plus petit.

Le père Bredouillle était garde-chasse du roi de ce pays-là, ce qui le mettait bien à son aise. Il avait une jolie maison au beau milieu de la forêt, avec un joli jardin dans une jolie clairière, au bord d'un joli ruisseau qui passait tout au travers du bois. Il avait le droit de chasser, de pêcher, de couper des arbres pour se chauffer, de cultiver un bon morceau de terre, et encore avait-il de l'argent du roi, tous les ans, pour garder sa chasse et soigner sa faisanderie ; mais le méchant homme ne se trouvait pas encore assez riche, et il ne faisait que voler et rançonner les voyageurs, vendre le gibier du roi, et envoyer en prison les pauvres gens qui venaient ramasser trois brins de bois mort, tandis qu'il laissait les riches, qui le payaient bien, chasser dans les forêts royales tout leur soûl. Le roi, qui était vieux et qui ne chassait plus guère, n'y voyait que du feu.

La mère Brigoule n'était pas tout à fait aussi mauvaise que son mari, et elle n'était pas non plus beaucoup meilleure : elle aimait l'argent, et quand son mari avait fait quelque chose de mal pour en avoir, elle ne le grondait point, tandis qu'elle l'eût volontiers battu quand il faisait des coquineries en pure perte.

Les six enfants de Bredouille et de Brigoule, élevés dans les habitudes de pillage et de dureté, étaient d'assez mauvais garnements. Leurs parents les aimaient beaucoup et leur trouvaient beaucoup d'esprit, parce qu'ils étaient devenus chipeurs et menteurs aussitôt qu'ils avaient su marcher et parler. Il n'y avait que le petit Gribouille qui fût maltraité et rebuté, parce qu'il était trop simple et trop poltron, à ce qu'on disait, pour faire comme les autres.

117.

Il avait pourtant une petite figure fort gentille, et il aimait à se tenir proprement. Il ne déchirait point ses habits, il ne salissait point ses mains, et il ne faisait jamais de mal, ni aux autres ni à lui-même. Il avait même toutes sortes de petites inventions qui le faisaient passer pour simple, et qui, dans le fait, étaient d'un enfant bien avisé. Par exemple, s'il avait grand chaud, il se retenait de boire, parce qu'il avait expérimenté que plus on boit plus on a soif. S'il avait grand-faim et qu'un pauvre lui vînt demander son pain, il le lui donnait vitement, se disant à part soi : « Je sens ce qu'on souffre quand on a faim, et ne dois point le laisser endurer aux autres. »

C'est Gribouille qui, des premiers, imagina de se frotter les pieds et les mains avec de la neige pour n'avoir point d'engelures. C'est lui qui donnait les jouets qu'il aimait le plus aux enfants qu'il aimait le moins, et quand on lui demandait pourquoi il agissait ainsi, il répondait que c'était pour venir à bout d'aimer ces mauvais camarades, parce qu'il avait découvert qu'on s'attache à ceux qu'on a obligés. Avait-il envie de dormir dans le jour, il se secouait pour se réveiller, afin de mieux dormir la nuit suivante. Avait-il peur, il chantait pour donner la peur à ceux qui la lui avaient donnée. Avait-il envie de s'amuser, il retardait jusqu'à ce qu'il eût fini son travail, afin de s'amuser d'un meilleur cœur après avoir fait sa tâche. Enfin il entendait à sa manière le moyen d'être sage et content ; mais, comme ses parents l'entendaient tout autrement, il était moqué et rebuté pour ses meilleures idées. Sa mère le fouettait souvent, et son père le repoussait chaque fois que l'enfant venait pour le caresser. « Va-t'en de là, imbécile, lui disait ce brutal de père, tu ne seras jamais bon à rien. »

Ses frères et ses sœurs, le voyant haï, se mirent à le mépriser, et ils le faisaient enrager, ce que Gribouille supportait avec beaucoup de douceur, mais non pas sans chagrin : car bien souvent il s'en allait seul par la forêt pour pleurer sans être vu et pour demander au ciel le moyen d'être aimé de ses parents autant qu'ils les aimait lui-même.

Il y avait dans cette forêt un certain chêne que Gribouille aimait particulièrement : c'était un grand arbre très vieux, creux en dedans, et tout entouré de belles feuilles de lierre et de petites mousses les plus fraîches du monde. L'endroit était assez éloigné de la maison de Bredouille et s'appelait le carrefour Bourdon. On ne se souvenait plus dans le pays pourquoi on avait donné ce nom à cet endroit-là. On pensait que c'était un riche seigneur, nommé Bourdon, qui avait planté le chêne, et on n'en savait pas davantage. On n'y allait presque jamais, parce qu'il était tout entouré de pierres et de ronces qu'on avait de la peine à traverser.

Mais il y avait là du gazon superbe, tout rempli de fleurs, et une petite fontaine qui s'en allait, en courant et en sautillant sur la mousse, se perdre dans les rochers environnants.

Un jour que Gribouille, plus maltraité et plus triste que de coutume, était allé gémir tout seul au pied du chêne, il se sentit piqué au bras, et, regardant, il vit un gros bourdon qui ne bougeait, et qui avait l'air de le narguer. Gribouille le prit par les ailes, et le posant sur sa main :

« Pourquoi me fais-tu du mal, à moi qui ne t'en faisais point ? lui dit-il. Les bêtes sont donc aussi méchantes que les hommes ? Au reste, c'est tout naturel, puisqu'elles sont bêtes, et ce serait aux hommes de leur donner un meilleur exemple. Allons, va-t'en, et sois heureux ; je ne te tuerai point, car tu m'as pris pour ton ennemi, et je ne le suis pas. Ta mort ne guérirait pas la piqûre que tu m'as faite. »

Le bourdon, au lieu de répondre, se mit à faire le gros dos dans la petite main de Gribouille et à passer ses pattes sur son nez et sur ses ailes, comme un bourdon qui se trouve bien et qui oublie les sottises qu'il vient de faire.

« Tu n'as guère de repentir, lui dit Gribouille, et encore moins de reconnaissance. Je suis fâché pour toi de ton mauvais cœur, car tu es un beau bourdon, je n'en saurais disconvenir : tu es le plus gros que j'ai jamais vu, et tu as une robe noire tirant sur le violet qui n'est pas gaie, mais qui ressemble au manteau du roi. Peut-être que tu es quelque grand personnage parmi les bourdons, c'est pour cela que tu piques si fort. »

Ce compliment, que Gribouille fit en souriant, quoique le pauvre enfant eût encore la larme à l'œil, parut agréable au bourdon, car il se mit à frétiller des ailes. Il se releva sur ses pattes, et tout d'un coup, faisant entendre un chant sourd et grave, comme celui d'une contrebasse, il prit sa volée et disparut. Gribouille, qui souffrait de sa piqûre, mais qui n'était pas si simple qu'il ne connût les propriétés des herbes de la forêt, cueillit diverses feuilles, et, après avoir bien lavé son bras dans le ruisseau, y appliqua ce baume et puis s'endormit. Pendant son premier sommeil, il lui sembla entendre une musique singulière : c'était comme de grosses voix de chantres de cathédrale qui sortaient de dessous terre et qui disaient en chœur :

*Bourdonnons, bourdonnons,*
*Notre roi s'avance.*

Et le ruisselet, qui fuyait sur les rochers, semblait dire d'une voix claire aux fleurettes de ses rives :

*Frissonnons, frissonnons,*
*L'ennemi s'avance.*

Et les grosses souches du chêne avaient l'air de se tordre et de ramper sur l'herbe comme des couleuvres. Les pervenches et les marguerites, comme si le vent les eût secouées, tournoyaient sur leurs tiges comme des folles ; les grandes fourmis noires, qui aimaient à butiner dans l'écorce, descendaient le long du chêne et se dressaient tout étonnées sur leur derrière ; les grillons sortaient du fond de leurs trous et mettaient le nez à la fenêtre. Enfin, le feuillage et les roseaux tremblaient et sifflaient si fort, que le pauvre Gribouille fut réveillé en sursaut par tout ce tapage.

Mais qui fut bien étonné ? ce fut Gribouille, quand il vit devant lui un grand et gros monsieur tout habillé de noir, à l'ancienne mode, qui le regardait avec des yeux tout ronds, et qui lui parla ainsi d'une grosse voix ronflante et en grasseyant beaucoup :

« Tu m'as rendu un service que je n'oublierai jamais. Va, petit enfant, demande-moi ce que tu voudras, je veux te l'accorder.

– Hélas ! Monsieur, répondit Gribouille tout transi de peur, ce que j'aurais à vous demander, vous ne pourrez pas faire que cela soit. Je ne suis pas aimé de mes parents, et je voudrais l'être.

– Il est vrai que la chose n'est point facile, répondit le monsieur habillé de noir ; mais je ferai toujours quelque chose pour toi. Tu as beaucoup de bonté, je le sais, je veux que tu aies beaucoup d'esprit.

– Ah ! monsieur, s'écria Gribouile, si, pour avoir de l'esprit, il faut que je devienne méchant, ne m'en donnez point. J'aime mieux rester bête et conserver ma bonté.

– Et que veux-tu faire de ta bonté parmi les méchants ? reprit le gros monsieur d'une voix plus sombre encore et en roulant ses yeux, ardents comme braise.

– Hélas ! monsieur, je ne sais que vous répondre, dit Gribouille de plus en plus effrayé ; je n'ai point d'esprit pour vous parler, mais je n'ai jamais fait de mal à personne : ne me donnez pas l'envie et le pouvoir d'en faire.

– Allons, vous êtes un sot, repartit le monsieur noir. Je vous laisse, je n'ai pas le temps de vous persuader ; mais nous nous reverrons, et, si vous avez quelque chose à me demander, souvenez-vous que je n'ai rien à vous refuser.

– Vous êtes bien bon, monsieur », répondit Gribouille, dont les dents claquaient de peur. Mais aussitôt le monsieur se retourna, et son grand habit de velours noir, étant frappé par le soleil, devint gris bleu d'abord et puis d'un violet magnifique ; sa barbe se hérissa, son manteau s'enfla ; il fit entendre un rugissement sourd plus affreux que celui d'un lion, et, s'élevant lourdement de terre, il disparut à travers les branches du chêne.

Gribouille alors se frotta les yeux et se demanda si tout ce qu'il avait vu et entendu était un rêve. Il lui sembla que c'en était un en effet, et que, du moment seulement où le monsieur s'était envolé, il s'était senti tout de bon éveillé. Il ramassa son bâton et sa gibecière et s'en retourna à la maison, car il craignait d'être encore battu pour s'être absenté trop longtemps.

A peine fut-il entré que sa mère lui dit :

« Ah ! vous voilà ? Il est bien temps de revenir. Voyez un peu l'imbécile, à qui le plus grand bonheur du monde arrive et qui ne s'en doute seulement pas ! »

Quand elle eut bien grondé, elle prit la peine de lui dire que M. Bourdon était venu dans la forêt, qu'il s'était arrêté dans la maison du garde-chasse, qu'il y avait mangé un grand pot de miel, qu'il avait pour cela payé un beau louis de vrai or, enfin, qu'après avoir regardé l'un après l'autre tous les enfants, frères et sœurs de Gribouille, il avait dit à la mère Brigoule : « Ça, madame, n'avez-vous point un enfant plus jeune que ceux-ci ? » Et ayant appris qu'il y avait un septième, âgé seulement de douze ans et qu'on appelait Gribouille, il s'était écrié : « Oh ! le beau nom ! voilà l'enfant que je cherche. Envoyez-le-moi, car je veux faire sa fortune. » Là-dessus il était sorti, sans s'expliquer autrement.

« Mais, dit Gribouille tout stupéfait, qu'est-ce donc que M. Bourdon ? car je ne le connais pas.

– M. Bourdon, répondit la mère, est un riche seigneur qui vient d'arriver dans le pays et qui va acheter une grande terre et un beau château tout près d'ici. Personne ne le connaît, mais tout le monde s'accorde à dire qu'il est généreux et jette l'or et l'argent à pleines mains. Peut-être bien qu'il est un peu fou, mais, puisqu'il a de la fantaisie pour votre nom de Gribouille, allez-vous-en vite le trouver, car, pour sûr, il veut vous faire un riche présent.

– Et où irai-je le trouver ? dit Gribouille.

– Dame ! je n'en sais rien, répondit Brigoule ; j'étais si interloquée que je n'ai pas pensé à le lui demander ; mais sûrement qu'il demeure déjà dans le château qu'il est en train d'acheter. C'est à la lisière de la forêt ; vous connaissez tout le pays, et il faudrait que vous fussiez bien sot pour ne pas trouver un homme que tout le monde connaît déjà et dont on parle comme d'une merveille. Allez, partez, dépêchez-vous, et ce qu'il vous donnera, ayez bien soin de le rapporter ici : si c'est de l'argent, n'en prenez rien pour vous ; si c'est quelque chose à manger, ne le flairez seulement point ; remettez-le tel que vous l'aurez reçu à votre père ou à moi. Sinon, gare à votre peau !

– Je ne sais pas pourquoi vous me dites tout cela, ma chère mère, répondit Gribouille ; vous savez bien que je ne vous ai jamais rien dérobé, et que je mourrais plutôt que de vous tromper.

– C'est vrai que vous êtes trop bête pour cela, reprit sa mère ; allons, ne raisonnez point, et partez. »

Quand Gribouille fut sur le chemin du château que sa mère lui avait indiqué, il se sentit bien fatigué, car il n'avait rien mangé depuis le matin, et la journée finissait. Il fut obligé de s'asseoir sous un figuier qui n'avait encore que des feuilles, car ce n'était point la saison des fruits, et il allait se trouver mal de faiblesse quand il entendit bourdonner un essaim au-dessus de sa tête. Il se dressa sur la pointe des pieds, et vit un beau rayon de miel dans un creux de l'arbre. Il remercia le ciel de ce secours, et mangea un peu de miel le plus proprement qu'il put. Il allait continuer sa route, lorsque, du creux de l'arbre, sortit une voix perçante qui disait : « Arrêtez ce méchant ! A moi, mes filles, mes servantes, mes esclaves ! mettons en pièces ce voleur qui nous prive de nos richesses ! »

Qui eut grand-peur ? ce fut Gribouille.

« Hélas ! mesdames les abeilles, fit-il en tremblant, pardonnez-moi. Je mourais de faim, et vous êtes si riches, que je ne croyais pas vous faire grand tort en goûtant un peu de votre miel ; il est si bon, si jaune, si parfumé, votre miel ! vrai, j'ai cru d'abord que c'était de l'or, et c'est quand j'y ai goûté que j'ai compris que c'était encore meilleur et plus agréable à trouver que de l'or fin.

– Il n'est pas trop sot, reprit alors une petite voix douce, et, pour ses jolis compliments, je vous prie, chère Majesté, ma mère, de lui faire grâce et de le laisser continuer son chemin.

Là-dessus il se fit dans l'arbre un grand bourdonnement, comme si tout le monde parlait à la fois et se disputait ; mais personne ne sortit, et Gribouille se sauva sans être poursuivi. Quand il se trouva un peu loin, il eut la curiosité de se retourner, et il vit l'endroit qu'il avait quitté si brillant, qu'il s'arrêta pour regarder. Le soleil, qui se couchait, envoyait une grande lumière dans les branches du figuier, et dans ce rayon, qui, à force d'être vif, faisait mal aux yeux, il y avait une quantité innombrable de petites figures transparentes qui dansaient et tourbillonnaient en faisant une fort jolie musique. Gribouille regarda tant qu'il put ; mais, soit qu'il fût trop loin, soit que le soleil lui donnât dans les yeux, il ne put jamais comprendre ce qu'il voyait. Tantôt c'était comme des dames et des demoiselles qui avaient des robes dorées et des corsages bruns ; tantôt c'était tout simplement une ruche d'abeilles qui reluisait dans le ciel en feu.

Mais, comme la nuit venait toujours et que le soleil descendait derrière les buissons, Gribouille ne vit bientôt plus rien, et il se remit en marche pour le château de M. Bourdon.

Il marcha longtemps, longtemps, se croyant toujours près de la lisière du bois, et enfin il s'aperçut qu'il ne savait où il était et qu'il s'était perdu. Il s'assit encore une fois pour se reposer, et il avait grande envie de dormir ; mais, pour ce qu'il avait peur des loups, il sut se tenir éveillé, et marcher encore le plus longtemps qu'il put. Enfin il allait se laisser tomber de fatigue, lorsqu'il vit beaucoup de lumières qui brillaient à travers les arbres, et, quand il se fut avancé de ce côté-là, il se trouva en face d'une grande belle maison tout illuminée et où l'on faisait, du haut en bas, grand bruit de bal, de musique et de cuisine. Gribouille, tout honteux de se présenter si tard, alla pourtant frapper à la grande porte et demanda à parler au maître de la maison, si le maître de la maison s'appelait M. Bourdon.

« Et vous, lui répondit le portier, entrez, si vous vous appelez Gribouille, car nous avons commandement de bien recevoir celui qui porte ce nom-là. Monseigneur achète ce château et donne une grande fête. Vous lui parlerez demain.

– A la bonne heure, répondit Gribouille, car je m'appelle Gribouille en effet.

– En ce cas, venez souper et vous reposer. »

Et là-dessus on l'emmena dans une belle chambre que Gribouille prit pour celle du maître de la maison, et qui n'était cependant que celle de son premier valet de chambre. On lui servit un beau souper de fruits et de confitures. Il aurait mieux aimé une bonne soupe et un bon morceau de pain, mais il n'osa en demander, et, quand il eut apaisé sa faim le mieux qu'il put, on lui dit qu'il pouvait se jeter sur le lit et faire un somme.

Il profita de la permission, mais le bruit qui se faisait dans toute la maison l'empêcha de dormir de bon cœur. A chaque instant on ouvrait les portes, et il entendait la musique des grosses contrebasses qui ronflaient comme le tonnerre. On refermait les portes, la musique paraissait finie; mais alors on entendait le cliquetis des casseroles dans la cuisine et des flacons dans l'office, et le chuchotement des valets qui avaient l'air de comploter je ne sais quoi, si bien que Gribouille, tantôt écoutant, tantôt rêvant, ne savait point au juste s'il était éveillé ou endormi.

Tout d'un coup, il lui sembla que le valet de chambre de Monseigneur, qui l'avait si bien traité, entrait et s'approchait de son lit. Il le regardait dormir, encore qu'il parût n'avoir point d'yeux dans sa vilaine grosse tête. Gribouille eut peur et voulut lui parler, mais le valet de chambre se mit à faire *tic, tac,* et à remuer les bras et les jambes, et puis à monter au plafond, à redescendre, à remonter encore, à croiser des fils sur d'autres fils avec beaucoup d'adresse et de promptitude, toujours faisant *tic, tac,* comme une pendule. D'abord ce jeu amusa Gribouille ; mais, quand il se vit tout enveloppé dans un grand filet, il eut peur encore une fois et voulut parler : ce lui fut impossible, car, au lieu de sa voix ordinaire, il ne sortit de son gosier qu'un petit sifflement aigu et faible comme celui d'un cousin. Il essaya de sortir ses bras du lit, et au lieu de bras, il se vit des petites pattes si menues, qu'il craignit, en les remuant, de les casser. Enfin il s'aperçut qu'il était devenu un pauvre petit moucheron, et que ce qu'il avait pris pour le valet de chambre de monseigneur Bourdon n'était qu'une affreuse araignée d'une grandeur démesurée, toute velue, et tout occupée de le prendre dans sa toile pour le dévorer. Pour le coup, Gribouille fut si effrayé qu'il réussit à s'éveiller, et il ne vit dans la chambre que le domestique, sous sa forme naturelle, qui était occupé à fourrer dans son buffet des bouteilles pleines, des couverts d'argent, des vases précieux et des bijoux qu'il volait pendant la fête, se promettant de mettre ses larcins sur le compte de quelque pauvre diable moins avancé que lui dans les bonnes grâces de Monseigneur.

D'abord Gribouille ne comprit pas ce qu'il faisait, mais il le devina, lorsque le valet se tourna vers lui d'un air effrayé et menaçant, et qu'il lui dit d'une voix sèche et cassée qui ressemblait au mouvement d'une vieille horloge usée : « Pourquoi me regardez-vous, et pourquoi ne dormez-vous pas ? »

Gribouille, qui n'était pas du tout si simple que l'on croyait, ne fit semblant de rien, et, se levant, il demanda la permission d'aller voir la fête, puisque aussi bien le bruit l'empêchait de dormir. « Allez, allez, vous êtes libre », lui dit le valet, qui aimait bien autant être débarrassé de lui.

Gribouille s'en alla donc droit devant lui, monta des escaliers, en descendit, traversa plusieurs chambres, et vit quantité de choses auxquelles il ne comprit rien du tout, mais qui ne laissèrent pas de le divertir. Dans une de ces chambres, il y avait beaucoup de messieurs habillés de noir et de dames très parées qui jouaient aux cartes et aux dés en se disputant des monceaux d'or. Dans une autre salle, d'autres hommes noirs et d'autres femmes parées et bariolées dansaient au son des instruments. Ceux qui ne dansaient pas avaient l'air de regarder, mais ils bourdonnaient si bruyamment qu'on n'entendait plus la musique.

Ailleurs on mangeait debout, d'un air affamé, et pas moitié aussi proprement que Gribouille avait coutume de le faire. On allait d'une chambre à l'autre, on se poussait, on mourait de chaud, et tout ce monde agité paraissait triste ou en colère.

Enfin le jour parut, et on ouvrit les fenêtres. Gribouille, qui s'était assoupi sur une banquette, crut voir s'envoler, par ces fenêtres ouvertes, de grands essaims de bourdons, de frelons et de guêpes, et quand il ouvrit les yeux, il se trouva seul dans la poussière. Les lustres s'éteignaient, les valets, harassés, se jetaient en travers sur les canapés et sur les tables. D'autres faisaient main basse sur les restes des buffets. Gribouille s'en alla achever paisiblement son somme sous les arbres du jardin, lequel était fort beau et tout rempli de fleurs magnifiques.

Quand il s'éveilla, bien rafraîchi et bien reposé, il vit devant lui un gros et grand monsieur, tout habillé de velours noir tirant sur le violet, et ressemblant si fort à celui qu'il avait vu en rêve sous le chêne du carrefour Bourdon, qu'il pensa que ce fût le même. Il ne put s'empêcher de lui dire :

« Eh bonjour, monsieur le Bourdon, comment vous portez-vous depuis hier matin ?

– Gribouille, répondit le riche seigneur avec la même voix ronflante et le même grasseyement que Gribouille avait entendus dans son rêve, je suis bien aise de vous voir ; mais je suis étonné de ce que vous me demandez, car c'est la première fois que nous nous rencontrons. Je sais que vous êtes arrivé cette nuit, j'étais couché, et je ne vous ai point vu. »

Gribouille, pensant qu'il avait dit une sottise en parlant de son rêve comme d'une chose que M. Bourdon devait se rappeler, chercha à réparer ses paroles imprudentes en lui demandant s'il n'était point malade.

« Moi, point du tout, je me porte au mieux, répondit M. Bourdon ; pourquoi me demandez-vous cela ?

– C'est à cause, reprit Gribouille, de plus en plus interdit, que vous donniez un grand bal, et que je pensais que vous y seriez.

– Non, cela m'aurait beaucoup ennuyé, répondit M. Bourdon. J'ai donné une fête pour montrer que je suis riche, mais je me dispense d'en faire les honneurs. Ça, parlons de vous, mon cher Gribouille : vous avez bien fait de venir me voir, car je vous veux du bien.

– C'est donc à cause que je m'appelle Gribouille ? demanda Gribouille, qui n'osait faire de questions raisonnables, dans la crainte de faire encore quelque bévue.

– C'est à cause que vous vous appelez Gribouille, répondit M. Bourdon ; cela vous étonne, vous apprenez, mon enfant, que, dans ce monde, il ne s'agit pas de comprendre ce qui nous arrive, mais d'en profiter.

– Eh bien, monsieur, dit Gribouille, quel bien est-ce que vous voulez me faire ?

– C'est à vous de parler », répondit le seigneur.

Gribouille fut bien embarrassé, car, de tout ce qu'il avait vu, rien ne lui faisait envie, et d'ailleurs tout lui semblait trop beau et trop riche pour qu'il fût honnête de le désirer. Quand il eut un peu réfléchi, il dit :

« Si vous pouviez me faire un don qui me fît aimer de mes parents, je vous serais fort obligé.

– Dites-moi d'abord, fit M. Bourdon, pourquoi vos parents ne vous aiment point, car vous me semblez un fort gentil garçon.

– Hélas ! Monsieur, reprit Gribouille, ils disent comme ça que je suis trop bête.

– En ce cas, dit M. Bourdon, il faut vous donner de l'esprit. »

Gribouille, qui, dans son rêve, avait déjà refusé l'esprit, n'osa pas cette fois montrer de la défiance.

« Et que faut-il faire, dit-il, pour avoir de l'esprit ?

– Il faut apprendre les sciences, mon petit ami. Sachez que je suis un habile homme et que je puis vous enseigner la magie et la nécromancie.

– Mais comment, dit Gribouille, apprendrai-je ces choses-là, dont je ne connais même pas le nom, si je suis trop simple pour apprendre quoi que ce soit ?

– Ces choses-là ne sont pas difficiles, répondit M. Bourdon, je me charge de vous les montrer ; mais, pour cela, il faut que vous veniez demeurer avec moi et que vous soyez mon fils.

– Vous êtes bien honnête, monsieur, dit Gribouille, mais j'ai des parents, je les aime et ne les veux point quitter. Quoiqu'ils aient d'autres enfants qu'ils aiment mieux que moi, je puis leur être nécessaire, et il me semble que ce serait mal de ne plus vouloir être leur fils.

– C'est comme vous voudrez, dit M. Bourdon, je ne force personne. Bonjour, mon cher Gribouille, je n'ai pas le temps de causer davantage avec vous, puisque vous ne voulez pas rester avec moi. Si vous changez d'avis, ou si vous souhaitez quelque autre chose, venez me trouver. Vous serez toujours bien reçu. »

Et là-dessus M. Bourdon entra dans une charmille, et Gribouille se trouva tout seul.

Quand Gribouille revint à la maison de son père et qu'il se vit près d'arriver, il se sentit tout joyeux, car il se dit en lui-même : « Sans le savoir, M. Bourdon m'a donné le moyen de me faire aimer de mes parents ; car, lorsqu'ils sauront qu'on m'a proposé de les quitter pour devenir le fils d'un homme si riche, et que j'ai refusé d'avoir d'autres parents que ceux que le bon Dieu m'a donnés, on verra bien que je ne suis pas un mauvais cœur. Mon père et ma mère m'embrasseront, et ils commanderont à mes frères et sœurs de m'embrasser aussi. »

Du plus loin qu'il aperçut la mère Brigoule, qui l'attendait avec impatience au bout de son verger, il se mit à courir et voulut, d'un air riant, se jeter dans ses bras, mais elle, sans lui en donner le temps :

« Qu'apportes-tu ? lui dit-elle, où est le cadeau qu'on t'a fait ? »

Et quand elle vit qu'il n'apportait rien, elle voulut le battre, pensant qu'il avait perdu en chemin ce qu'on lui avait donné ; mais Gribouille la pria de l'écouter, lui disant qu'après elle le pourrait gronder et punir s'il avait manqué à son devoir. Alors il rapporta mot pour mot l'entretien qu'il avait eu avec M. Bourdon, mais, au lieu de l'embrasser et de le remercier, sa mère prit une branche de saule et commença à le fouailler, en criant après lui. Le père Bredouille arriva et demanda ce que c'était.

« Voyez ce coquin, ce mauvais cœur, cet âne, dit la mère tout enragée, il n'a pas voulu être le fils et l'héritier d'un homme qui est plus riche que le roi. Il est si sot, qu'il n'a même pas songé, en le quittant, à lui demander un beau sac d'écus ou une bonne place pour nous dans sa maison, ou un joli morceau de terre pour augmenter notre avoir. »

Le père Bredouille battit Gribouille à son tour, et si fort que la mère, qui craignait qu'il ne le fît mourir, le lui retira des mains en disant :

« En voilà assez pour une fois. »

Gribouille, désolé, demanda à ses parents ce qu'il devait faire pour leur plaire, disant que, s'il lui fallait aller demeurer avec M. Bourdon, il s'y soumettait. Mais tandis que sa mère, qui l'aimait encore un peu pour lui-même, et qui eût été flattée de le voir riche et bien vêtu, disait oui, son père, qui ne croyait pas à sa bonté et qui ne jugeait pas possible l'oubli de tant d'outrages qu'on avait faits à Gribouille, disait non. Il aimait mieux l'envoyer de temps en temps chez M. Bourdon, espérant que celui-ci lui donnerait de l'argent qu'il rapporterait à la maison, par crainte d'être battu.

Or donc, au bout de deux ou trois jours, on l'habilla misérablement, on lui mit une veste toute déchirée, de gros sabots aux pieds, un sarrau bien malpropre, et on l'envoya ainsi chez M. Bourdon pour faire croire que ses parents n'avaient pas le moyen de l'habiller, et pour faire pitié à ce riche seigneur. En même temps, on lui commanda de demander une grosse somme.

Gribouille, qui aimait tant la propreté, fut bien humilié de se présenter sous ces méchantes guenilles, et il en avait les larmes aux yeux. Mais M. Bourdon ne l'en reçut pas plus mal ; car, malgré sa brusquerie et sa grosse voix, il avait l'air d'un bon homme et surtout paraissait aimer Gribouille sans que Gribouille pût deviner pourquoi.

« Gribouille, lui dit-il, je ne suis pas fâché de voir que vous songiez à vous-même. Prenez tout ce qu'il vous plaira. »

Il le conduisit alors dans une grande cave qui était si pleine d'or, de diamants, de perles et de pierreries, qu'on marchait dessus, et encore y en avait-il plus de sept grands puits très profonds qui étaient remplis jusqu'aux bords.

Gribouille, pour obéir à ses parents, prit seulement de l'or, car il ne savait pas que les diamants sont encore plus précieux. On lui avait dit d'en prendre le plus possible, il en mit donc dans toutes ses poches, mais avec aussi peu de plaisir que si ce fussent des cailloux ; car il ne voyait pas à quoi cela pouvait lui servir.

Il remercia M. Bourdon avec plus d'honnêteté que de contentement, et s'en retourna, disant : « Cette fois, je ferai voir à mes parents que j'ai obéi, et peut-être qu'ils m'embrasseront. »

Comme il se trouvait fatigué de porter tant d'or et qu'il se trouvait à passer non loin du carrefour de Bourdon, il se détourna un peu du chemin pour aller s'y reposer. Il mangea quelques glands du vieux chêne, qu'il connaissait pour meilleurs que ceux des autres chênes de la forêt, étant doux comme sucre et tendres comme beurre. Puis il but au ruisseau et se disposait à faire un somme, lorsqu'il vit ses trois frères et ses trois sœurs se jeter sur lui, le pincer, le mordre, l'égratigner, et lui enlever tout son trésor.

Gribouille défendait son or comme il pouvait, disant : « Laissez-le-moi porter à la maison pour que mon père et ma mère voient que j'ai fait leur volonté, et après cela vous me le prendrez si vous voulez. »

Mais ils ne l'écoutaient point et continuaient à le voler et à le maltraiter, lorsque tout à coup il se fit un grand bruit dans le chêne, comme si dix mille grosses contrebasses y donnaient un concert, et aussitôt un essaim de gros frelons, guêpes et bourdons de différentes espèces s'abattit sur les frères et sœurs de Gribouille, et se mirent à les piquer si fort en les poursuivant, qu'ils arrivèrent à la maison tout enflés, les uns presque aveugles, les autres ayant des mains grosses comme la tête, tous quasi défigurés et criant comme des damnés. Cependant Gribouille, qui s'était trouvé au milieu de l'essaim, n'avait pas une seule piqûre, et il avait pu ramasser son or et l'apporter à la maison. Tandis que Brigoule lavait et pensait ses autres enfants, Bredouille, qui ne songeait qu'à l'argent, s'occupait d'interroger et de fouiller Gribouille, et, cette fois, il le complimentait et lui reprochait seulement d'être un paresseux et un douillet qui aurait eu la force d'en apporter le double. On mit les autres enfants au lit, car ils étaient fort malades, et plusieurs pensèrent en crever.

Mais, dès le lendemain, Bredouille ayant voulu compter l'or avec sa femme, il fut bien étonné de le voir se fondre dans ses doigts et se répandre sur la table en liqueur jaune et poissante, qui n'était autre chose que du miel, et encore du miel très mauvais et plus amer que sucré.

« Pour le coup, dit Brigoule en lavant sa table avec beaucoup de colère, M. Bourdon est sorcier, et il nous sera difficile de l'affiner. Il ne nous faut point mettre mal avec lui, et, au lieu de lui demander de l'argent, il faut lui faire des présents. Il m'a semblé qu'il aimait le miel plus qu'il ne convient à un homme raisonnable, et c'est sans doute pour nous en demander qu'il nous fait cette malice.

– Cela me paraît clair, répondit Bredouille, envoyons-lui du meilleur de nos ruches, et je pense que pour cela il nous payera bien. »

Le jour suivant, on mit sur un âne un beau baril de miel superbe, et on envoya Gribouille chez M. Bourdon.

Mais Gribouille ne fut pas plus tôt arrivé auprès du figuier où il avait entendu et vu des choses si surprenantes, qu'une grande clameur d'abeilles sortit de l'arbre, se jeta sur l'âne, qui prit le galop et s'enfuit, laissant là son baril, et criant comme un âne qu'il était.

Alors Gribouille, à qui tout cela donnait bien à penser, vit paraître devant lui deux dames d'une beauté merveilleuse, escortées de tant d'autres dames et damoiselles, qu'il était impossible de les compter. La plus grande de toutes était habillée richement et comme portée en l'air par une quantité d'autres. A ses côtés, une jeune princesse fort belle voltigeait gracieusement.

« Imprudent ! dit la reine (car, à son manteau royal et à sa manière de se faire porter sur le dos des autres, Gribouille vit bien que c'était une tête couronnée), tu as deux fois mérité la mort, car tu t'es fait le libérateur et le complaisant du roi des bourdons, notre ennemi mortel. Mais la princesse ma fille, que tu vois ici présente, m'a deux fois demandé ta grâce. Elle prétend que tu peux nous rendre service, et nous verrons si l'on peut compter sur toi.

– Ordonnez-moi ce que vous voudrez, madame la Reine, répondit Gribouille ; je n'ai jamais eu dessein de vous offenser, et je vous trouve si belle, que j'aurais du plaisir à vous servir.

– Petit enfant, dit alors la reine d'un ton radouci, car elle aimait les compliments, écoute bien ce que je vais te dire. Laisse là ce pauvre chiffon de miel que tu portais au roi des bourdons, et porte-lui ces paroles qui lui plairont davantage. Dis-lui que la reine des abeilles est lasse de la guerre, qu'elle reconnaît que les frelons et les bourdons sont maintenant trop nombreux et trop forts pour être défaits en bataille rangée. Les industrieux sont contraints de faire part aux conquérants des richesses qu'ils ont amassées et de signer un traité de paix. Je sais bien que le roi des bourdons se croit si fort qu'il prétend nous imposer des conditions humiliantes ; mais je sais aussi qu'il ambitionne la main de ma fille et qu'il n'espère pas l'obtenir. Va lui dire que je la lui donne en mariage, à condition qu'il laissera nos ruches en paix, et qu'il se contentera d'une forte part de nos trésors que ma fille lui apportera en dot. »

Ayant ainsi parlé, la reine disparut ainsi que sa fille et toute sa cour, et Gribouille ne vit plus qu'un grand amas d'abeilles qui se pendaient en grappes aux branches du figuier.

Il reprit sa course et alla raconter à M. Bourdon comme quoi ses parents l'ayant chargé d'un baril de beau miel, la reine des abeilles le lui avait ôté, et le discours qu'elle l'avait chargé de faire au roi des bourdons.

« Comme vous êtes très savant, ajouta Gribouille, peut-être pourrez-vous m'enseigner où je trouverai ce roi-là, à moins que vous ne le soyez vous-même, ce que j'ai toujours soupçonné, sans avoir pour cela mauvaise opinion de vous.

– Fantaisies, rêveries que tout cela ! dit M. Bourdon en riant. C'est bien, c'est bien, Gribouille, vous avez fait votre commission. Parlons de vous, mon enfant ; vous voyez que vous n'aurez jamais raison avec vos parents, ils sont trop fins et vous ne l'êtes pas assez. Voulez-vous rester avec moi ? vous n'aurez plus jamais rien à craindre de leur part, et vous deviendrez un si habile homme, que vous commanderez à toute la terre. »

Gribouille soupira et ne répondit point. Et là-dessus M. Bourdon lui tourna le dos, car il ne s'arrêtait jamais longtemps à la même place, et, bien qu'on ne lui vît jamais rien faire, il avait l'air d'être toujours très occupé et grandement pressé.

Toutes les fois que M. Bourdon lui parlait de le garder et de l'instruire, Gribouille se sentait comme transi de peur sans savoir pourquoi. Il retourna chez ses parents et leur raconta tout ce qui lui était arrivé. Il avait bien peur d'avouer que la reine des abeilles avait repris le miel et mis l'âne en fuite ; mais il le fallait bien, et, pour s'excuser, il fut forcé de dire qu'il n'avait pas eu affaire à de simples abeilles, mais à une reine, à toute sa cour et à toute son armée.

Il s'attendait à être traité de menteur et de visionnaire ; mais Bredouille, qui croyait aux sorciers parce qu'il avait essayé de l'être, se gratta l'oreille et dit à sa femme : « Il y a de la magie dans tout cela ! Gribouille est en passe de devenir plus riche qu'un roi, puisqu'il est à même de devenir sorcier. Il est bien simple pour cela, mais il dépend de M. Bourdon de lui ouvrir l'esprit. Laissons-le faire, car, si nous nous y opposons, il nous ruinera et fera périr nos enfants. J'ai dans l'idée que ces frelons qui les ont si bien mordus n'étaient pas des insectes de petite volée. Envoyons-lui donc Gribouille, car, si Gribouille devient aussi riche qu'un roi, par amour-propre il élèvera sa famille aux plus hautes dignités. »

Alors, s'adressant à Gribouille : « Petit, lui dit-il, retournez de ce pas chez M. Bourdon. Dites-lui que votre père vous donne à lui, et gardez-vous d'en marquer le moindre déplaisir. Restez avec lui, je vous le commande, et, si vous ne le faites, soyez assuré que je vous ferai mourir sous le bâton. »

Gribouille, ainsi congédié, partit en pleurant. Sa mère eut un petit moment de chagrin et sortit pour le reconduire un bout de chemin, puis elle le quitta après l'avoir embrassé, ce qui fit tant de plaisir au pauvre Gribouille, qu'il accepta son sort dans l'espérance d'être aimé et caressé par ses parents lorsqu'il viendrait les voir.

M. Bourdon reçut fort bien Gribouille. Il le fit richement habiller, lui donna une belle chambre, le fit manger à sa table, et envoya quérir trois pages pour le servir. Puis il commença à le faire instruire dans l'art de la magie.

Mais Gribouille ne fit pas grand progrès. On lui faisait faire des chiffres, des chiffres, des calculs, des calculs, et cela ne l'amusait guère, d'autant plus qu'il ne comprenait guère à quoi cela pourrait lui servir. Sa richesse ne le rendait point heureux. Il était content d'être propre, et c'est tout. Il voyait fort peu M. Bourdon, qui paraissait toujours grandement affairé, et qui lui disait en lui tapant sur la joue : « Apprends les chiffres, apprends les calculs avec le maître que je t'ai donné ; quand tu sauras cela, je serai ton maître moi-même, et je t'apprendrai les grands secrets. »

Gribouille aurait bien voulu aimer M. Bourdon, qui lui faisait tant de bien ; mais il n'en pouvait venir à bout. M. Bourdon était railleur sans être plaisant, bruyant sans être gai, prodigue sans être généreux. On ne savait jamais à quoi il pensait, si toutefois il pensait à quelque chose. Il était quelquefois brutal, et le plus souvent indifférent. Il avait une manie qui répugnait à Gribouille, c'était de ne vivre que de miel, de sirops et de confitures, ce qui ne l'empêchait pas d'être gros et gras, mais ce dont il usait avec tant de voracité qu'il en était malpropre. Gribouille n'aimait point à l'embrasser, parce qu'il avait toujours la barbe poissée.

Cependant, malgré la dépense que faisait M. Bourdon, il devenait chaque jour plus riche, et, comme le royaume de ce pays-là était gouverné par un monarque très faible et très ruiné, M. Bourdon achetait toutes ses terres, toutes ses métairies, toutes ses forêts. Bientôt il lui acheta ses courtisans, ses serviteurs, ses troupeaux et ses armées. Le roi devint si pauvre, si pauvre, que, sans l'aide de quelques domestiques fidèles qui le nourrissaient, il serait mort de faim. Il conservait le titre de roi, mais il n'était plus que le premier ministre de M. Bourdon, qui lui faisait faire toutes ses volontés, et qui était le roi véritable.

A quelque temps de là, on vit arriver dans la contrée une très belle et très riche princesse, avec une grande reine qui était sa mère, et qui venait traiter du mariage de cette demoiselle avec M. Bourdon. L'affaire fut bientôt conclue. Il y eut des fêtes à en crever ; on invita le roi, qui fut bien content d'être du repas de noces, et quand M. Bourdon fut marié, il parut plus riche de moitié qu'auparavant.

Sa femme était fort jolie et fort spirituelle, elle traitait Gribouille avec beaucoup d'amitié ; mais Gribouille ne réussissait pas à l'aimer autant qu'il l'eût souhaité. Elle lui faisait toujours peur, parce qu'elle lui rappelait la princesse des abeilles qu'il avait cru voir sous le figuier, le jour où l'essaim avait mis son âne en fuite, et lorsqu'elle l'embrassait, il s'imaginait toujours qu'elle allait le piquer. Elle avait la même manie de manger du miel et des sirops, qui déplaisait tant à Gribouille dans M. Bourdon. Et puis elle parlait toujours d'économie, et tandis que l'on apprenait à Gribouille l'art de compter, elle le tourmentait en lui disant sans cesse qu'il lui fallait aussi l'art de produire.

A tout prendre, la maison de M. Bourdon devint plus tranquille après son mariage, mais elle n'en fut pas plus gaie. Mme Bourdon était avare, elle faisait durement travailler tout le monde. Le royaume s'en ressentait et devenait très riche. On faisait toutes sortes de travaux, on bâtissait des villes, des ports de mer, des palais, des théâtres ; on fabriquait des meubles et des étoffes magnifiques ; on donnait des fêtes où l'on ne voyait que diamants, dentelles et brocarts d'or. Tout cela était si beau, si beau, que les étrangers en étaient éblouis. Mais les pauvres n'en étaient pas plus heureux, parce que, pour gagner de l'argent dans ce pays-là, il fallait être très savant, très fort ou très adroit, et ceux qui n'avaient ni esprit ni savoir ni santé, étaient oubliés, méprisés et forcés de voler, de demander l'aumône, ou de mourir de faim comme le vieux roi. On s'aperçut même que tout le monde devenait méchant : les uns parce qu'ils étaient trop heureux, les autres parce qu'ils ne l'étaient pas assez. On se disputait, on se haïssait. Les pères reprochaient aux enfants de ne pas grandir assez vite pour gagner de l'argent ; les enfants reprochaient aux pères de ne pas mourir assez tôt pour leur en laisser. Les maris et les femmes ne s'aimaient point, parce que M. et Mme Bourdon, qui donnaient le ton, ne pouvaient pas se supporter. S'étant mariés par intérêt, ils se reprochaient sans cesse leur origine, Mme Bourdon disant à son mari qu'il était un roturier, et M. Bourdon disant à sa femme qu'elle était une bécasse entichée de noblesse. Ils en venaient parfois aux gros mots. Monsieur accusait madame d'être avare ; madame traitait monsieur de voleur.

Gribouille n'assistait pas à ces querelles de ménage et ne comprenait pas pourquoi, dans un pays devenu si beau et si riche, il y avait tant de gens chagrins et mécontents. Pour son compte, il eût pu être heureux, car ses parents, devenus riches, ne le tourmentaient plus guère, et M. Bourdon, tout occupé de ses affaires, ne le contrariait en rien.

Mais Gribouille avait le cœur triste sans savoir pourquoi et s'ennuyait de vivre toujours seul ; il n'avait point d'amis de son âge, tous les autres enfants étaient instruits par leurs parents à être jaloux de sa richesse ; on ne lui faisait point apprendre les choses qu'il eût aimées ; M. Bourdon, tout en le comblant de présents et de plaisirs fort coûteux, ne paraissait pas se soucier de lui plus que du premier venu. Il ne marquait d'estime ni de mépris pour personne, et un jour que Gribouille avait voulu l'avertir que son premier valet de chambre le volait, il avait répondu : « Bon, bon ! il fait son métier. »

Enfin, quand Gribouille eut quinze ans, M. Bourdon le prit par le bras et lui dit : « Mon jeune ami, vous serez mon héritier, parce que les destins ont décrété que je n'aurai point d'enfants de mon dernier mariage. Je le savais, et c'est pourquoi je me suis marié sans crainte de vous faire du tort ; vous serez donc très riche, et vous l'êtes déjà, puisque tout ce que j'ai vous appartient. Mais, après moi, il vous faudra prendre beaucoup de peine et soutenir beaucoup de combats pour conserver vos biens, car la famille de ma femme me hait et n'est retenue de me faire la guerre que par la crainte que j'inspire. La race des abeilles tout entière conspire contre moi, et n'attend que le moment favorable pour fondre sur mes terres et reprendre tout ce qu'elle prétend lui appartenir.

« Il est donc temps que je vous instruise de mes secrets, afin que l'habileté vous sauve de la force quand vous ne m'aurez plus. Venez avec moi. »

Là-dessus M. Bourdon monta dans son carrosse avec Gribouille, et fit prendre le chemin du carrefour Bourdon. Quand ils furent auprès du chêne, M. Bourdon renvoya son équipage, et, prenant Gribouille par la main, il le fit asseoir sur les racines de l'arbre et lui dit :

« Avez-vous quelquefois mangé de ces glands ?

– Oui, répondit Gribouille, car je sais qu'ils sont bons, tandis que les autres glands de la forêt sont amers et bons pour les pourceaux.

– En ce cas, vous êtes plus avancé que vous ne pensez. Eh bien ! puisque ces fruits vous plaisent, mangez-en. »

Gribouille en mangea avec plaisir, parce que cela lui rappelait son enfance ; mais tout aussitôt il se sentit accablé d'un grand sommeil, et il ne lui sembla plus voir ni entendre M. Bourdon que dans un rêve.

D'abord il lui sembla que M. Bourdon frappait sur l'écorce du chêne et que le chêne s'entrouvrait ; alors Gribouille vit dans l'intérieur de l'arbre une belle ruche d'abeilles avec tous ses gâteaux blonds et dorés, et toutes les abeilles, dans leurs cellules propres et succulentes, bien renfermées chacune chez soi. On entendait pourtant des voix mignardes qui babillaient dans toutes les chambres, et qui disaient : *Amassons, amassons ; gardons, gardons ; refusons, refusons ; mordons, mordons.* Mais une voix plus haute fit faire silence, en criant du fond de la ruche : *Taisez-vous, taisez-vous, l'ennemi s'avance.*

Alors M. Bourdon commença à bourdonner et à grimper le long de l'arbre, et à frapper de l'aile et de la patte à la cellule de la reine qui se barricadait et tirait ses verrous. M. Bourdon fit entendre une voix retentissante comme une trompe de chasse, et des milliers, des millions, des milliards de bourdons, de frelons et de guêpes parurent, d'abord comme un nuage dans le ciel, et bientôt comme une armée terrible qui se précipita sur la ruche. Les abeilles se décidèrent à sortir pour se défendre, et Gribouille assista à un combat furieux où chacun cherchait à percer un ennemi de son dard ou à lui manger la tête. La mêlée devint plus horrible lorsque des branches du chêne descendit une nouvelle armée qui, sans prendre parti dans la querelle, ne parut songer qu'à tuer au hasard pour emporter et manger les cadavres. C'était toute une république de grosses fourmis qui avait sa capitale non loin de là, et qui était allée prendre le frais sur les feuilles, et tâcher en même temps de lécher un peu de miel qui coulait de la ruche, et dont les fourmis sont aussi friandes que les bourdons. Chaque fois qu'un insecte blessé tombait sur le dos, ou se roulait dans les convulsions de la colère et de l'agonie, vingt fourmis s'acharnaient à le pincer, à le mordre, à le tirailler, et, après l'avoir fait mourir à petit feu, appelaient vingt autres des leurs qui emportaient le mort vers la fourmilière. Dans ce désordre, le miel, ruisselant par les portes brisées des cellules, empiégea si bien les combattants et les voleurs, que grand nombre périrent étouffés, noyés ou percés par leurs ennemis, dont ils ne pouvaient plus se défendre. Enfin les frelons restèrent maîtres du champ de bataille, et alors commença une orgie repoussante. Les vainqueurs, se gorgeant de miel au milieu des victimes, et marchant sur les cadavres des mères et des enfants, s'enivrèrent d'une façon si indécente, que beaucoup crevèrent d'indigestion en se roulant pêle-mêle avec les morts et les mourants.

Quant à M. Bourdon, à qui l'on avait apporté les clefs de la ruche sur un plat d'argent, il se mit à rire d'une manière odieuse, et prenant Gribouille par la peau du cou : « Allez donc, poltron, lui dit-il, profitez donc de la curée, car c'est pour vous qu'on a fait tout ce massacre. Profitez-en, mangez, prenez, pillez, tuez, allez donc ! »

Et il le lança au fond de la ruche, qui était devenue un lac de sang. Gribouille s'agita pour en sortir, et, roulant le long du chêne, il alla tomber dans la capitale des fourmis, où à l'instant même il fut saisi par trente millions de paires de pinces qui le tenaillèrent si horriblement, qu'il fit un grand cri et s'éveilla. Mais, en ouvrant les yeux, il ne vit plus rien que de très vraisemblable : le chêne s'était refermé, la fourmilière avait disparu, quelques abeilles voltigeaient discrètement sur le serpolet, quelques frelons buvaient les goutte-lettes d'eau que le ruisseau faisait jaillir sur les feuilles de ses rives, et M. Bourdon, aussi tranquille qu'à l'ordinaire, regardait Gribouille en ricanant.

« Eh bien ! Monsieur l'endormi, lui dit-il, voilà comme vous prenez votre première leçon ? vous vous abandonnez au sommeil pendant que je vous explique les lois de la nature ?

– Je vous en demande bien pardon, répondit Gribouille encore tout saisi d'horreur. Ce n'est pas pour mon plaisir que j'ai dormi de la sorte, car j'ai fait des rêves abominables.

– C'est bon, c'est bon, reprit M. Bourdon, il faut s'habituer à tout. Mais où en étions-nous ?

– Vraiment, monsieur, dit Gribouille, je n'en sais rien. Il me semblait que vous me disiez de tuer, de piller, de manger.

– C'est quelque chose comme cela, reprit M. Bourdon ; je vous expliquais l'histoire naturelle des frelons et des abeilles. Celles-ci travaillent pour leur usage, vous disais-je ; elles sont fort habiles, fort actives, fort riches et fort avares. Ceux-là ne travaillent pas si bien et ne savent pas faire le miel ; mais ils ont un grand talent, celui de savoir prendre. Les fourmis ne sont pas sottes non plus, elles bâtissent des cités admirables ; mais elles les remplissent de cadavres pour se nourrir pendant l'hiver, et il n'est point de nation plus pillarde et mieux unie pour faire du mal aux autres. Vous voyez donc bien que, dans ce monde, il faut être voleur ou volé, meurtrier ou meurtri, tyran ou esclave. C'est à vous de choisir : voulez-vous conserver comme les abeilles, amasser comme les fourmis, ou piller comme les frelons ? Le plus sûr, selon moi, est de laisser travailler les autres, et de prendre ; prendre, prendre ! mon garçon, par force ou par adresse, c'est le seul moyen d'être toujours heureux. Les avares amassent lentement et jouissent peu de ce qu'ils possèdent ; les pillards sont toujours riches quand même ils dépensent, car, quand ils ont bien mangé, ils recommencent à prendre, et comme il y a toujours des travailleurs économes, il y a toujours moyen de s'enrichir à leurs dépens. Ça, mon ami, je vous ai dit le dernier mot de la science, choisissez, et, si vous voulez être bourdon, je vous ferai recevoir magicien comme je le suis.

– Et quand je serai magicien, dit Gribouille, que m'arrivera-t-il ?

– Vous saurez prendre, répondit M. Bourdon.

– Et pour le devenir, que faut-il faire ?

– Faire serment de renoncer à la pitié et à cette sorte de vertu qu'on appelle la probité.

– Tous les magiciens font-ils ce serment-là ? dit Gribouille.

– Il y en a, répondit M. Bourdon, qui font le serment contraire, et qui font métier de servir, de protéger et d'aimer tout ce qui respire ; mais ce sont des imbéciles qui prennent, par vanité, le titre de bons génies et qui n'ont aucun pouvoir sur la terre. Ils vivent dans les fleurs, dans les ruisseaux, dans les déserts, dans les rochers, et les hommes ne leur obéissent pas ; ils ne les connaissent même point ; aussi ce sont de pauvres génies qui vivent d'air et de rosée et dont le cerveau est aussi creux que l'estomac.

– Eh bien, monsieur Bourdon, répondit Gribouille, vous n'avez pas réussi à me donner de l'esprit, car je préfère ces génies-là au vôtre, et je ne veux en aucune façon apprendre la science de piller et de tuer. Je vous souhaite le bonjour, je vous remercie de vos bonnes intentions, et je vous demande la permission de retourner chez mes parents.

– Imbécile ! répondit M. Bourdon, tes parents sont des frelons qui ont oublié leur origine, mais qui n'en ont pas moins tous les instincts et toutes les habitudes de leur race. Ils t'ont battu parce que tu ne savais pas voler. Ils te tueront à présent que tu ne peux le savoir et que tu refuses de l'apprendre.

– Eh bien, dit Gribouille, je m'en irai dans ces déserts dont vous m'avez parlé et où vous dites que demeurent les bons génies.

– Mon petit ami, vous n'irez point, reprit M. Bourdon d'une voix terrible et en roulant ses gros yeux comme deux charbons ardents ; j'ai mes raisons pour que vous ne me quittiez pas, et je vais vous faire tant de piqûres, que vous resterez là pour mort si vous me résistez. »

En parlant ainsi, M. Bourdon étendit ses ailes, et reprenant la figure d'un affreux insecte, il se mit à poursuivre avec rage le pauvre Gribouille, qui s'enfuyait à toutes jambes. Quelque temps il réussit à se préserver en l'écartant avec son chapeau ; mais, enfin, se voyant sur le point d'être dévoré, il perdit la tête et se précipita dans le ruisseau, dont il descendit le courant à la nage avec beaucoup de vitesse ; mais, à tout instant, le bourdon s'élançait sur ses yeux pour l'éborgner, et il était forcé d'enfoncer sa tête dans l'eau, au risque d'être suffoqué. Alors Gribouille, se voyant perdu, s'écria :

« A mon secours, les bons génies, ne souffrez pas que ce méchant s'empare de moi ! »

Au même instant, une jolie demoiselle aux ailes bleues sortit d'une touffe d'iris sauvages, et, s'approchant de Gribouille :

« Suis-moi, lui dit-elle, nage toujours et n'aie pas peur. »

Et puis elle se mit à voler devant lui, et, en un instant, une grande pluie d'averse commença à tomber et à contrarier fort M. Bourdon, qui ne savait pas voler pendant la pluie. La demoiselle s'en moquait et allait toujours. Le ruisseau se gonflait et emportait Gribouille, qui n'avait plus la force de nager. M. Bourdon essaya de s'acharner après sa proie ; mais la pluie, qui tombait en gouttes aussi larges que la main, le culbuta dans l'eau. Il se sauva comme il put, à la nage, et gagna les herbes de la rive, où Gribouille le perdit de vue. Cependant Gribouille avançait toujours, conduit par la demoiselle, et il se trouva à passer devant la porte de la maison de son père. Il vit ses frères et sœurs qui le regardaient par la fenêtre et qui riaient bien fort, pensant qu'il se noyait. Gribouille voulait s'arrêter pour leur dire bonjour, mais la demoiselle le lui défendit.

« Suis-moi, Gribouille, lui dit-elle ; si tu me quittes, tu es perdu.

– Merci, madame la Demoiselle, répondit Gribouille, je veux vous obéir. »

Et, lâchant un arbre auquel il s'était retenu, il recommença à nager aussi vite que le ruisseau, qui était devenu un torrent et qui roulait aussi vite qu'une flèche. Quand il eut dépassé la maison et le jardin de ses parents, Gribouille entendit ses frères et ses sœurs qui le raillaient en criant de toutes les forces :

*« Fin comme Gribouille, qui se jette dans l'eau*
*par crainte de la pluie. »*

# COMMENT GRIBOUILLE
## SE JETA DANS LE FEU
## PAR CRAINTE D'ÊTRE BRÛLÉ

Lorsque Gribouille eut fait environ deux cents lieues à la nage, il se sentit un peu fatigué et il eut faim, quoiqu'il eût fait tout ce chemin en moins de deux heures. Il y avait longtemps qu'il ne descendait plus le cours du ruisseau et qu'il naviguait en pleine mer sans s'en apercevoir, car il lui semblait rêver et ne pas bien savoir ce qui se passait autour de lui. Il ne voyait plus la demoiselle bleue ; il est à croire qu'elle l'avait quitté lorsque le ruisseau s'était jeté dans une rivière, laquelle rivière s'était jetée dans un fleuve, lequel fleuve avait conduit Gribouille jusqu'à la mer.

Gribouille, revenant à lui-même, fit un effort pour se reconnaître, et ne se trouva plus figure humaine : il n'avait plus, en guise de pieds et de mains, que des feuilles vertes toutes mouillées ; son corps était en bois couvert de mousse, sa tête était un gros gland d'Espagne sucré, du moins Gribouille le pensait, car il sentait comme un goût de sucre dans la bouche qu'il n'avait plus. Il fut étonné de se voir dans cet état et de reconnaître que son voyage l'avait changé en une branche de chêne qui flottait sur l'eau. Les gros poissons, qu'il rencontrait par milliers, le flairaient en passant, puis détournaient la tête d'un air de dégoût. Les oiseaux de mer s'abattaient jusque sur lui pour l'avaler ; mais, dès qu'ils l'avaient regardé de près, ils s'en allaient plus loin, pensant que ce n'était point un plat de leur cuisine. Enfin il vint un grand aigle, qui le prit assez délicatement dans son bec et qui l'emporta à travers les airs.

Gribouille eut un peu peur de se voir si haut ; mais il sentit bientôt qu'en le séchant l'air lui donnait de la force et de la nourriture, car sa faim le quitta, et il se fût trouvé fort à l'aise, si les projets de l'aigle à son égard ne lui eussent donné quelque inquiétude.

Cependant, comme il continuait à penser et à raisonner sous sa forme de branche, il se dit bientôt : Je suis près de la terre, puisque l'aigle, qui n'est pas un oiseau marin, est venu me chercher dans les eaux ; il m'emporte, et ce n'est pas pour me manger, car il aime la chair et non pas les glands ; il veut donc faire de moi une broussaille pour son nid, et bientôt, sans doute, je vais me trouver sur le faîte d'un arbre ou d'un rocher.

Gribouille raisonnait fort bien. Il vit bientôt le rivage et une grande île déserte où il n'y avait que des arbres, de l'herbe et des fleurs qui brillaient au soleil et embaumaient l'air à vingt lieues à la ronde.

L'aigle le déposa dans son aire et partit pour aller chercher quelque autre broussaille. Gribouille, se voyant seul, avait bien envie de s'en aller ; mais comment faire, puisqu'il n'avait plus ni pieds ni jambes ? Au moins, disait-il, quand j'étais sur l'eau, l'eau me poussait et me faisait avancer ; à présent, que deviendrai-je ? Je m'en vais certainement me faner, me dessécher et mourir, puisque je suis une branche coupée et jetée aux vents.

Gribouille versa quelques larmes ; mais il reprit courage en songeant que les fées ou les bons génies l'avaient protégé contre les assauts de l'affreux bourdon, et que, sans doute, ils lui avaient fait subir cette métamorphose pour le préserver de ses poursuites. Il aurait bien voulu les invoquer encore, et surtout revoir près de lui la demoiselle bleue qui lui avait parlé sur le ruisseau ; mais il était aussi muet qu'une souche, et il ne pouvait pas faire de lui-même le plus petit mouvement.

Mais voilà que, tout à coup, s'éleva un furieux coup de vent qui bouleversa le nid de l'aigle et transporta Gribouille au beau milieu de l'île.

Il n'eut pas plus tôt touché la terre qu'il vit s'agiter autour de lui toutes les herbes et toutes les fleurs, et un beau narcisse blanc, au pied duquel il s'était trouvé retenu, se pencha, l'embrassa sur la joue, et lui dit : « Te voilà donc enfin, mon cher Gribouille ! il y a bien longtemps que nous t'attendons. »

Une marguerite se prit à rire et dit : « Vraiment, nous allons bien nous amuser, à présent que le bon Gribouille sera des nôtres. »

Et une folle-avoine s'écria : « Je suis d'avis que nous donnions un grand bal pour fêter l'arrivée de Gribouille.

– Patience ! reprit le narcisse, qui avait l'air plus raisonnable que les autres ; vous ne pourrez rien pour Gribouille tant que la reine ne l'aura pas embrassé.

– C'est juste, répondirent les autres plantes ; faisons un somme en attendant ; mais prenons garde que le vent, qui est en belle humeur aujourd'hui, ne nous enlève Gribouille. Enlaçons-nous autour de notre ami. »

Alors le narcisse étendit sur la tête de Gribouille une de ses grandes feuilles, en lui disant : « Dors, Gribouille, voilà un parasol que je te prête. » Cinq ou six primevères se couchèrent sur ses pieds, une troupe de jeunes muguets vint s'asseoir sur sa poitrine, et une douzaine d'aimables pervenches se roulèrent autour de lui et l'enlacèrent si adroitement, que le plus méchant vent du monde n'eût pu l'emporter.

Gribouille, ranimé par la bonne odeur de ces plantes affables, par la fraîcheur de l'herbe et le doux ombrage du narcisse, goûta un sommeil délicieux, tandis que les muguets lui faisaient tout doucement cent petits contes à dormir debout, et que les pâquerettes chantonnaient des chansonnettes qui n'avaient ni rime ni raison, mais qui procuraient des rêves fort agréables.

Enfin Gribouille fut réveillé par des voix plus hautes. On chantait et on dansait autour de lui : tout le monde paraissait ivre de joie ;

les liserons s'agitaient comme des cloches à toute volée, les graminées jouaient des castagnettes, les muguets faisaient mille courbettes et révérences, et le grave narcisse lui-même chantait à tue-tête, tandis que les pâquerettes riaient à gorge déployée.

« Enfants sans cervelle, dit alors d'un ton maternel une très douce voix, n'avez-vous pas une bonne nouvelle à m'apprendre, ce matin ? »

Aussitôt des millions de voix crièrent ensemble : *Gribouille ! Gribouille ! Gribouille !* Et, s'écartant comme un rideau, toutes les plantes découvrirent aux yeux charmés de Gribouille le doux visage de la reine.

C'était la Reine des prés, cette belle fleur élégante, menue et embaumée qui vient au printemps et qui aime les endroits frais.

« Lève-toi, mon cher Gribouille, dit-elle, viens embrasser ta marraine. »

Aussitôt Gribouille sentit qu'il retrouvait ses pieds, ses bras, ses mains, son visage et toute sa personne. Il se leva bien lestement, et toute la prairie fit un cri de joie à l'apparition du véritable Gribouille. La reine daigna dépouiller son déguisement et elle se montra sous sa figure naturelle, qui était celle d'une fée plus belle que le jour, plus fraîche que le mois de mai et plus blanche que la neige ; seulement elle conservait sa couronne de fleurs de reine des prés, qui, en se mêlant à ses cheveux blonds, semblait plus belle qu'une couronne de grappes de perles fines.

« Allons, mes enfants, dit-elle, levez-vous aussi, et que les yeux dessillés de Gribouille vous voient tels que vous êtes. »

Il y eut un moment d'hésitation, et le narcisse prenant la parole :

« Chère reine, dit-il, tu sais bien que, pour nous faire paraître dans toute notre beauté, il nous faut un de tes divins sourires, et tu es si occupée de l'arrivée de Gribouille, que tu ne songes pas à nous l'adresser. »

La reine sourit tout naturellement à ce reproche, et Gribouille, sur qui ce sourire passa aussi comme un éclair, éprouva un mouvement de joie mystérieuse si subit, qu'il en pensa mourir. Toute la prairie en ressentit l'effet ; on eût dit que le rayon d'un soleil mille fois plus clair et plus doux que celui qui éclaire les hommes avait ranimé et transformé toutes les choses vivantes. Toutes les fleurs, toutes les herbes, tous les arbustes de l'île devinrent autant de sylphes, de petites fées, de beaux génies qui parurent, les uns sous les traits d'enfants beaux comme les amours, de filles charmantes, de jeunes gens enjoués et raisonnables, les autres sous la figure de superbes dames, de nobles vieillards et d'hommes d'un aspect franc, libre, aimant et fort. Enfin tout ce monde-là était beau et agréable à voir, les vieux comme les jeunes, les petits comme les grands. Tous étaient vêtus des tissus les plus fins, les uns éclatants, les autres aussi doux à regarder que les couleurs des plantes dont ils avaient adopté le nom et les emblèmes. Les enfants faisaient mille charmantes folies, les gens graves les regardaient avec tendresse et protégeaient leurs ébats. Les jeunes personnes dansaient et chantaient, et charmaient par leur grâce et leur modestie. Tous et toutes s'appelaient frère et sœurs et se chérissaient comme les enfants de la même mère, et cette mère était la reine des prés, éternellement jeune et belle, qui ne commandait que par ses sourires et ne gouvernait que par sa tendresse.

Elle prit Gribouille par la main et le promena au milieu des groupes nombreux qui s'étaient formés dans la prairie ; puis, quand tout le monde l'eut choyé et caressé, elle lui dit :

« Va, et sois libre ; amuse-toi, sois heureux : cette fête ne sera pas longue, car j'ai beaucoup d'affaires. Elle ne durera que cent ans, profites-en pour t'instruire de notre science magique. Ici l'on fait les choses vite et bien. Après la fête, je causerai avec toi et je te dirai ce que tu dois savoir pour être un magicien parfait.

– Soit, ma chère marraine, puisque vous l'êtes, dit Gribouille, je me sens en vous une telle confiance que je veux tout ce que vous voudrez. Mais qui fera mon éducation, ici ?

– Tout le monde, dit la reine ; tout le monde est aussi savant que moi, puisque j'ai donné à tous mes enfants ma sagesse et ma science.

– Est-ce donc que vous allez nous quitter pendant ces cent ans ? dit Gribouille ; j'en mourrais de regret, car je vous aime de tout l'amour que j'aurais eu pour ma mère si elle l'eût permis.

– Je ne te quitterai pas, pour un si court moment que j'ai à passer près de toi et de mes autres enfants, dit la reine. Je reste au milieu de vous ; tu me verras toujours, tu pourras toujours venir près de moi pour me parler et me questionner ; mais tu vois, tes frères et tes sœurs sont impatients de te réjouir et de te fêter. N'y sois pas insensible, car toute cette joie, tout ce bonheur dont tu les vois enivrés, se changeraient en tristesse et en larmes si tu ne les aimais pas comme ils t'aiment.

– A Dieu ne plaise ! » s'écria Gribouille. Et il s'élança au milieu de la fête.

Gribouille ne se demanda pas pourquoi tout ce monde si bon, si beau et si heureux avait tant d'amitié pour un pauvre petit étranger comme lui, sorti du monde des méchants. Il ne se permit pas de douter que la chose fût vraie et certaine. Il sentit tout d'un coup que c'est si doux d'être aimé, qu'il faut vite en faire autant et ne point se tourmenter d'autre chose au monde.

La fête fut belle, et le temps ne cessa pas d'être magnifique. Il y eut pourtant quelquefois de la pluie, mais une pluie tiède qui sentait l'eau de rose, l'eau de violette, de tubéreuse, de réséda, enfin toutes les meilleures senteurs du monde, et on avait autant de plaisir à sentir tomber cette pluie qu'à la sentir sécher dans les cheveux aux rayons d'un bon soleil qui se dépêchait de la boire. Il y eut aussi de l'orage, du vent et du tonnerre, et c'était un bien beau spectacle, auquel on assistait sans rien payer. Il y avait des grottes immenses où l'on se mettait à l'abri pour regarder la mer en fureur, le ciel en feu, et pour entendre les chants extraordinaires et sublimes que le vent faisait dans les arbres et dans les rochers. Personne n'avait peur, pas même les petits sylphes et les jeunes farfadets. Ils savaient qu'aucun mal ne pouvait les atteindre. Quelquefois les ruisseaux, gonflés par l'orage, devenaient des torrents ; c'était une joie, un tumulte parmi les enfants et les jeunes filles à qui les franchirait ; et quand on tombait dedans, on riait plus fort, car rien ne faisait mourir dans ce pays-là, on n'y était même jamais malade. Il arrivait pourtant quelquefois des accidents. Les sylphes étourdis tombaient du haut des arbres, ou les jeunes filles se piquaient les doigts aux rosiers et aux acacias. Les jeunes gens, en exerçant leurs forces, faisaient quelquefois, par mégarde, rouler un rocher sur de graves vieillards qui causaient sans méfiance à quelques pas de là. Mais aussitôt qu'on voyait une blessure, qu'elle fût grande ou petite, la moindre goutte de sang faisait accourir tout le monde ; on s'empressait à qui verserait la première larme sur cette plaie, et aussitôt elle était guérie par enchantement. Mais cela causait un moment de douleur générale, car tout le monde souffrait à la fois du mal que ressentait le blessé. La reine alors arrivait bien vite, bien vite ; elle souriait, et, comme le blessé était déjà guéri, tout le monde était consolé et transporté d'une joie nouvelle à cause du sourire de la reine.

On ne vivait, dans ce pays-là, que de fruits, de graines et du suc des fleurs ; mais on les apprêtait si merveilleusement, leurs mélanges étaient si bien diversifiés, qu'on ne savait lequel de ces plats exquis préférer aux autres. Tout le monde préparait, servait et mangeait le repas. On ne choisissait point les convives : qu'ils fussent jeunes ou vieux, gais ou sérieux, ils étaient tous parfaitement agréables. On riait avec les uns à en mourir, on admirait la sagesse ou l'esprit des autres. Quand même on devenait grave avec les sages, on ne s'ennuyait jamais, parce qu'ils disaient gracieusement toutes choses, et c'était toujours par amitié pour les autres qu'ils parlaient. Les nuits étaient aussi belles que les jours ; on dormait où l'on se trouvait, sur la mousse, sur le gazon, dans les grottes qui étaient illuminées par plus de cent milliards de vers luisants. Si on ne voulait pas dormir, à cause de la beauté de la lune, on se promenait sur l'eau, dans les forêts, sur les montagnes, et on trouvait toujours à qui causer, car partout on pouvait rejoindre des groupes qui faisaient de la musique ou qui célébraient la beauté de la nature et le bonheur de s'aimer. Enfin les cent ans s'écoulèrent chacun comme un jour, et quand, à la fin de la centième journée, la reine vint prendre Gribouille par la main, il fut fort étonné, car il croyait être à la fin de la première.

« Mon cher enfant, lui dit-elle, j'ai à te parler ; la fête va finir, viens avec moi. »

Elle monta avec Gribouille sur le sommet le plus élevé de l'île et lui fit admirer la beauté de la contrée des fleurs, où dansait et chantait encore, aux premiers rayons des étoiles, cette race heureuse dont elle était la mère. « Hélas ! dit Gribouille, saisi pour la première fois depuis cent ans d'une profonde tristesse, vais-je donc quitter tous ces amis ? vais-je redevenir branche de chêne ? vais-je donc retourner dans le pays où règnent les abeilles avares et les bourdons voleurs ? Ma chère marraine, ne m'abandonnez pas, ne me renvoyez pas ; je ne puis vivre ailleurs qu'ici, et je mourrai de chagrin loin de vous.

– Je ne t'abandonnerai jamais, Gribouille, dit la reine, et tu resteras avec nous si tu veux ; mais écoute ce que j'ai à te dire, et tu verras ce que tu as à faire :

« Le pays où tu es né, et qui aujourd'hui a pris définitivement le nom de Royaume des Bourdons, parce que M. Bourdon y a été nommé roi, était, avant ta naissance, un pays comme les autres, mêlé de bien et de mal, de bonnes et de mauvaises gens. Tes parents n'étaient pas des meilleurs, leurs enfants leur ressemblaient. Tu vins le dernier, et, par un bonheur extraordinaire, je vins à passer au moment de ta naissance dans la forêt où demeurait ton père. Ta mère était au lit, ton père t'examinait et te trouvait plus chétif que ses autres enfants : "Ma foi, disait-il d'une voix grondeuse sur le seuil de sa porte, voilà un marmot qui me coûtera plus qu'il ne me rapportera. Je ne sais à quoi a pensé ma femme de me donner un fils si petit et si vilain ; si je ne craignais de la fâcher, je le ferais noyer comme un petit chat." Je passais alors sur le ruisseau, sous la forme d'une demoiselle bleue, déguisement que je suis forcée de prendre quand je crains la rencontre du roi des bourdons. Je savais bien que ton père ne te ferait pas mourir, mais je compris qu'il n'était point bon et qu'il ne t'aimerait guère. Je ne pouvais empêcher ce malheur ; mais le besoin que j'ai de faire toujours du bien là où je passe me donna l'idée de t'adopter pour mon filleul et de te douer de douceur et de bonté, ce qui, à mes yeux, était le plus beau présent que je pusse te faire.

« T'ayant donné un baiser en passant et en t'effleurant de mon aile, je poursuivis mon voyage, car j'étais en mission auprès de la reine des fées, et mon premier soin, en arrivant auprès d'elle, fut de lui demander la permission de te rendre heureux. Elle me l'accorda tout d'abord ; mais bientôt nous vîmes arriver le roi des bourdons, qui se fâcha contre elle, contre moi, et fit beaucoup de menaces, disant que ton pays lui avait été promis, et que nul que lui n'avait droit et pouvoir sur le moindre de ses habitants.

« Il faut que tu saches que, d'après nos lois, une partie, grande ou petite, de la terre est assignée pour demeure à chacune des races d'esprits supérieurs, bons ou méchants, qui peuplent le monde des fées et des génies ; mais ce droit est limité à un certain nombre de siècles ou d'années, et ensuite nous changeons de résidence, afin que la même portion de la terre ne reste pas éternellement méchante et malheureuse. De là vient qu'on voit des nations florissantes tomber dans la barbarie, et des nations barbares devenir florissantes, selon que nos bonnes ou mauvaises influences règnent sur elles.

« La reine des fées est aussi juste qu'elle peut l'être, ayant affaire à tant de méchants esprits contre lesquels les bons sont forcés d'être en guerre depuis le commencement du monde ; mais il est écrit dans le grand livre des fées que les méchants esprits, enfants des ténèbres, finiront par se corriger, et que la reine ne doit ni les exterminer, ni les priver des moyens de s'amender. Elle est donc forcée d'écouter leurs promesses, de croire quelquefois à leur repentir, et de leur permettre de recommencer de nouvelles épreuves. Quand ils ont abusé de sa patience et de sa bonté, elle les châtie en les forçant de vivre, des années ou des centaines d'années, sous la forme de certaines plantes et de certains animaux. C'est une faculté que nous avons tous de nous transformer ainsi à volonté ; mais, quand nous subissons cette métamorphose par punition, nous ne sommes plus libres de quitter la forme que l'on nous impose, tant que la reine ne révoque point son arrêt.

– Je suis bien sûr, dit Gribouille, que jamais vous n'avez été punie de la sorte.

– Il est vrai, répondit modestement la reine des prés ; mais, pour en revenir à ton histoire, tu sauras qu'à cette époque le roi des bourdons, qui avait gouverné ton pays environ quatre cents ans auparavant, et qui l'avait affreusement dévasté et maltraité, subissait depuis ce temps-là un châtiment infâme. Il était simple bourdon, une vraie bête brute, condamnée à ramper, à dérober, à bourdonner sur un vieux chêne de la forêt qu'il avait jadis planté de sa propre main, lorsqu'il était le maître et le tyran de la contrée.

– Comment, dit Gribouille, un génie peut-il exister sous cette forme vile, et vivre pendant des siècles de la vie des bêtes ?

– Cela arrive tous les jours, répondit la fée. Rien ne le distingue des autres bêtes, si ce n'est le sentiment de sa misère, de sa honte et de sa déplorable immortalité. Le roi des bourdons était ainsi transformé depuis trois cent quatre-vingt-huit ans lorsque tu vins au monde. Ces trois cent quatre-vingt-huit ans te paraissent bien longs ; mais, dans la vie des êtres immortels, c'est peu de chose, et la punition n'était pas bien dure.

– Comment se fait-il donc, demanda Gribouille, qui s'avisait de tout, que le roi des bourdons, devenu simple et stupide bourdon, se trouvait dans le palais de la reine des fées lorsque vous vîntes demander la permission de me rendre heureux ?

– C'est, répondit la reine des prés, que tous les cent ans, c'est comme qui dirait chez vous toutes les heures, la reine assemble son conseil et permet à tous ses subordonnés, même à ceux qui subissent une transformation honteuse sur sa terre, de comparaître devant son tribunal pour demander quelque grâce, rendre compte de quelque mission, ou manifester quelque repentir. Mais les mauvais génies sont orgueilleux, et ils viennent rarement faire sincèrement leur soumission. Le roi Bourdon venait plutôt là pour narguer la reine. Il le fit bien voir, car il lui rappela qu'elle-même avait prononcé que sa peine expirerait la quatre-centième année, et qu'il reprendrait l'empire de ton pays à ce moment-là : "Par conséquent, disait-il, ce Gribouille m'appartient, et la reine des prés (je passe les épithètes grossières dont il m'honora) n'a pas le droit de me l'enlever pour le douer et l'instruire à sa fantaisie." La reine des fées, ayant réfléchi, prononça cette sentence : "La reine des prés, ma fille, a doué cet enfant des hommes de douceur et de bonté ; nul ne peut détruire le don d'une fée, quand il est prononcé par elle sur un berceau. Gribouille sera donc doux et bon ; mais il est bien vrai que Gribouille vous appartient. Eh bien ! je vais prendre une mesure qui, si vous êtes raisonnable, vous empêchera de le tourmenter et de le faire souffrir. Vous ne serez délivré que de sa main. Le jour où il vous dira : "Va, et sois heureux", vous cesserez d'être un simple bourdon ; vous pourrez quitter votre vieux chêne et régner sur le pays. Mais souvenez-vous de rendre Gribouille très heureux ; car, le jour où il voudra vous quitter, je permettrai à sa marraine de le protéger contre vous, et s'il revient ensuite pour vous punir de votre ingratitude, je ne vous prêterai aucun secours contre lui.

« Là-dessus la reine prononça la clôture de son conseil ; je revins à mon île, et le roi des bourdons retourna à son vieux chêne, où, douze ans après, jour pour jour, ta bonté te fit prononcer ces mots fatals : *Va, et sois heureux.*

« Aussitôt le méchant insecte qui t'avait piqué redevint le roi des bourdons et prit tout de suite le nom de M. Bourdon ; car il lui avait été interdit par la reine de se présenter les armes à la main, et il ne pouvait ni déposséder le vieux roi, ni se rendre puissant par la force.

« Tu as vu, Gribouille, ce qu'a fait ce méchant génie. Il a séduit et corrompu les hommes de ton pays par ses richesses. Il a augmenté son pouvoir en épousant la princesse des abeilles qui est, en réalité, la princesse des thésauriseurs. Il a rendu beaucoup de gens très riches et le pays florissant en apparence ; mais, sans persécuter les pauvres, il s'est arrangé de manière à les laisser mourir de faim, parce qu'il a su rendre les riches égoïstes et durs. Les pauvres sont devenus de plus en plus ignorants et méchants à force de colère et de souffrance ; si bien que tout le monde se déteste dans ce malheureux pays, et qu'on voit des personnes mourir de chagrin et d'ennui, quelquefois même se tuer par dégoût de la vie, bien qu'elles soient assez riches pour ne rien désirer sur la terre.

« Or donc, Gribouille, continua la reine, voilà cent ans que tu as quitté ton pays de la manière que l'avait prévu la reine des fées. Ton bon cœur n'a pu supporter l'horreur naturelle que t'inspirait le roi des bourdons. Il a voulu te retenir de force, je t'ai sauvé de ses griffes ; il règne à présent et il vit toujours, puisqu'il est immortel, quoiqu'il fasse le vieux et parle toujours de sa fin prochaine pour ne pas inquiéter ses sujets. Tes parents ne sont plus. De toutes les personnes que tu as connues, il n'en existe pas une seule. La richesse n'a fait qu'augmenter avec la méchanceté dans ce pays-là ; les hommes en sont venus à s'égorger les uns les autres. Ils se volent, ils se ruinent, ils se haïssent, ils se tuent. Les pauvres font comme les riches, ils se tuent entre eux et ils pillent les riches tant qu'ils peuvent ; c'est une guerre continuelle. Les abeilles, les frelons et les fourmis sont dans un travail effroyable pour s'entre-nuire et s'entre-dévorer. Tout cela est venu de ce que l'esprit d'avarice et de pillarderie a étouffé l'esprit de bonté et de complaisance dans tous les cœurs, et de ce qu'on a oublié une grande science dont, seul de tous les hommes nés sur cette terre malheureuse, tu es aujourd'hui possesseur. »

Gribouille commença par pleurer la mort de ses parents comme s'ils eussent été bien regrettables, et il les eût pleurés longtemps si la reine des prés, qui voulait le rendre attentif à ses discours, ne l'eût forcé, par un de ses sourires magiques, à redevenir tranquille et satisfait. Alors, se sentant réveillé comme d'un rêve, il ne vit plus le passé et ne songea qu'à l'avenir.

« Ma chère marraine, dit-il, vous dites que seul, parmi les hommes de mon pays, je possède une grande science. On m'a toujours dit autrefois que j'étais né fort simple. Le roi des bourdons a essayé de me rendre habile. J'ai étudié pendant trois ans, chez lui, la science des nombres, et cela ne m'a rien appris dont je sache me servir. Vous m'avez amené ici et vous m'y avez donné cent ans d'un plaisir et d'un bonheur dont je n'avais pas l'idée ; mais on n'a songé qu'à me divertir, à me caresser, à me rendre content, et véritablement j'ai été si content, si heureux, si gai, si fou peut-être, que je n'ai pas songé à faire la plus petite question, et que je ne me sens pas plus magicien que le premier jour. Vous voyez donc que je suis un grand niais ou un grand étourdi, et vraiment j'en suis tout honteux, car il me semble que, dans l'espace de cent ans, j'aurais pu et j'aurais dû apprendre tout ce qu'un mortel peut savoir, lorsqu'il vit au milieu des fées et des génies.

– Gribouille, dit la reine, tu t'accuses à tort et tu te trompes si tu crois ne rien avoir appris. Voyons, interroge ton propre cœur, et dis-moi s'il n'est pas en possession du secret le plus merveilleux qu'un mortel ait jamais pressenti ?

– Hélas ! ma marraine,' répondit Gribouille, je n'ai appris qu'une chose chez vous, c'est à aimer de tout mon cœur.

– Fort bien, reprit la reine des prés, et quelle autre chose est-ce que mes autres enfants t'ont fait connaître ?

– Ils m'ont fait connaître le bonheur d'être aimé, dit Gribouille, bonheur que j'avais toujours rêvé et que je ne connaissais point.

– Eh bien, dit la reine, que veux-tu donc savoir de plus beau et de plus vrai ? Tu sais ce que les hommes de ton pays ne savent pas, ce qu'ils ont absolument oublié, ce dont ils ne se doutent même plus. Tu es magicien, Gribouille, tu es un bon génie, tu as plus de science et plus d'esprit que tous les docteurs du royaume des bourdons.

– Ainsi, dit Gribouille, qui commençait à voir clair en lui-même et à ne plus se croire trop bête, c'est la science que vous m'avez donnée qui guérirait les habitants de mon pays de leur malice et de leurs souffrances ?

– Sans doute, répondit la reine, mais que t'importe, mon cher enfant ? Tu n'a plus rien à craindre des méchants ; tu es ici à l'abri de la rancune du roi des bourdons. Tu seras immortel tant que tu habiteras mon île, aucun chagrin ne viendra te visiter, tes jours passeront en siècles de fêtes. Oublie la malice des hommes, abandonne-les à leurs souffrances. Viens, retournons au concert et au bal. Je veux bien les prolonger encore pour toi d'une journée de cent ans. »

Gribouille interrogea son cœur avant de répondre, et, tout d'un coup, il y trouva ce raisonnement-ci : « Ma marraine ne me dit cela que pour m'éprouver ; si j'acceptais, elle ne m'estimerait plus et je ne m'estimerais plus moi-même. » Alors il se jeta au cou de sa marraine et lui dit : « Faites-moi un beau sourire, ma marraine, afin que je ne meure pas de chagrin en vous quittant, car il faut que je vous quitte. J'ai beau n'avoir ni parents ni amis dans mon pays à l'heure qu'il est, je sens que je suis l'enfant de ce pays et que je lui dois mes services. Puisque me voilà riche du plus beau secret du monde, il faut que j'en fasse profiter ces pauvres gens qui se détestent et qui sont pour cela si à plaindre. J'ai beau être heureux comme un génie, grâce à vos bontés, je n'en suis pas moins un simple mortel, et je veux faire part de ma science aux mortels. Vous m'avez appris à aimer ; eh bien ! je sens que j'aime ces méchants et ces fous qui vont me haïr peut-être, et je vous demande de me reconduire parmi eux. »

La reine embrassa Gribouille, mais elle ne put sourire malgré toute son envie. « Va, mon fils, dit-elle, mon cœur se déchire en te quittant ; mais je t'en aime davantage, parce que tu as compris ton devoir et que ma science a porté ses fruits dans ton âme. Je ne te donne ni talisman, ni baguette pour protéger tes jours contre les entreprises des méchants bourdons, car il est écrit au livre du destin que tout mortel qui se dévoue doit risquer tout, jusqu'à sa vie. Seulement je veux t'aider à rendre les hommes de ton pays meilleurs : je te permets donc de cueillir dans mes prés autant de fleurs que tu en voudras emporter, et chaque fois que tu feras respirer la moindre de ces fleurs à un mortel, tu le verras s'adoucir et devenir plus traitable ; c'est à ton esprit de faire le reste. Quant au roi des bourdons et à ceux de sa famille, il y a longtemps qu'ils seraient corrigés, si cela dépendait de mes fleurs, car, depuis le commencement du monde, ils se nourrissent de leurs sucs les plus doux ; mais cela n'a rien changé à leur caractère brutal, cruel et avide. Préserve-toi donc tant que tu pourras de ces tyrans ; je tâcherai de te secourir ; mais je ne te cache pas que ce sera une lutte bien terrible et bien dangereuse, et que je n'en connais pas l'issue. »

Gribouille alla cueillir un gros bouquet, tout en pleurant et soupirant. Tous les habitants de l'île heureuse avaient disparu. La fête était finie ; seulement, chaque fois que Gribouille se baissait pour ramasser une plante, il entendait une petite voix gémissante qui lui disait :

– Prends, prends, mon cher Gribouille, prends mes feuilles, prends mes fleurs, prends mes branches ; puissent-elles te porter bonheur ! puisses-tu revenir bientôt ! »

Gribouille avait le cœur bien gros ; il eût voulut embrasser toutes les herbes, tous les arbres, toutes les fleurs de la prairie ; enfin il se rendit au rivage où l'attendait sa marraine. Elle tenait à la main une rose dont elle détacha une feuille qu'elle laissa tomber dans l'eau, puis elle dit à Gribouille :

« Voilà ton navire ; pars, et sois heureux dans la traversée. »

Elle l'embrassa tendrement, et Gribouille sautant dans la feuille de rose, arriva en moins de deux heures dans son pays.

A peine eut-il touché le rivage, qu'une foule de marins accourut, émerveillée de voir aborder un enfant dans une feuille de rose ; car il faut vous dire que Gribouille n'avait pas vieilli d'un jour pendant les cent années qu'il avait passées dans l'île des Fleurs ; il n'avait toujours que quinze ans, et, comme il était petit et menu pour son âge, on ne lui en eût pas donné plus de douze. Mais les mariniers ne s'amusèrent pas longtemps à admirer Gribouille et sa manière de voyager ; ils ne songèrent qu'à avoir la feuille de rose, qui véritablement était une chose fort belle, étant grande comme un batelet, et si solide qu'elle ne laissait pas pénétrer dans son creux la plus petite goutte d'eau.

« Voilà, disaient les mariniers, une nouvelle invention qui se vendrait bien cher. Combien, petit garçon, veux-tu vendre ton invention ? »

Car ces mariniers étaient riches, et ils s'empressaient tous d'offrir leur bourse à Gribouille, enchérissant les uns sur les autres, et se menaçant les uns les autres.

« Si ma barque vous fait plaisir, dit Gribouille, prenez-la, messieurs. »

Il n'eut pas plus tôt dit cette parole, que les mariniers se jetèrent comme des furieux sur la barque, se donnant des coups à qui l'aurait, s'arrachant des poignées de cheveux et se jetant dans la mer à force de se battre. Mais, comme la barque était une feuille de rose de l'île enchantée, à peine l'eurent-ils touchée qu'ils en éprouvèrent la vertu : ils se sentirent tout calmés par la bonne odeur qu'elle avait, et, au lieu de continuer leur bataille, ils convinrent de garder la barque pour eux tous et de la montrer comme une rareté au profit de toute leur bande.

Cette convention faite, ils vinrent remercier Gribouille de son généreux présent, et, quoiqu'ils fussent encore assez grossiers dans leurs manières, ils l'invitèrent de bon cœur à venir dîner avec eux et à demeurer dans celle de leurs maisons qu'il lui plairait de choisir.

Gribouille accepta le repas, et, comme il portait les habits avec lesquels il avait quitté la contrée cent ans auparavant, il fut bientôt un objet de curiosité pour toute la ville, qui était un port de mer. On vint à la porte du cabaret où il dînait avec les marins, et, la nouvelle de son arrivée en feuille de rose s'étant répandue, la foule s'ameuta et commença à crier qu'il fallait prendre l'enfant, le renfermer dans une cage, et le montrer dans tout le pays pour de l'argent.

Les mariniers qui régalaient Gribouille essayèrent de repousser cette foule ; mais, quand ils virent qu'elle augmentait toujours, ils lui conseillèrent de se sauver par une porte de derrière et de se bien cacher : « Car vous avez affaire à de méchantes gens, lui dirent-ils, et ils sont capables de vous tuer en se battant à qui vous aura.

– J'irai au-devant d'eux, répondit Gribouille en se levant, et je tâcherai de les apaiser.

– Ne le faites point, dit une vieille femme qui servait le repas, vous feriez comme défunt Gribouille, qui, à ce que m'a conté ma grand-mère, se noya dans la rivière pour se sauver de la pluie. »

Gribouille eut bien envie de rire ; il quitta la table et, ouvrant la porte, il alla au milieu de la foule, tenant devant lui son bouquet qu'il fourrait vitement dans le nez de ceux qui venaient se jeter sur lui. Il n'eut pas plus tôt fait cette expérience sur une centaine de personnes, qu'elles l'entourèrent pour le protéger contre les autres ; et, peu à peu, comme les fleurs de l'île enchantée ne se flétrissaient point et qu'elles répandaient un parfum qui n'eût pas épuisé la respiration de cent mille personnes, toute la population de cet endroit-là se trouva calmée comme par miracle. Alors, au lieu de vouloir enfermer Gribouille, chacun voulut lui faire fête, ou tout au moins l'interroger sur son pays, sur ses voyages, sur l'âge qu'il avait, et sur sa fantaisie de naviguer en feuille de rose.

Gribouille raconta à tout le monde qu'il arrivait d'une île où tout le monde pouvait aller, à la seule condition d'être bon et capable d'aimer ; il raconta le bonheur dont on y jouissait, la beauté, la tranquillité, la liberté et la bonté des habitants ; enfin, sans rien dire qui pût le faire reconnaître pour ce Gribouille dont le nom était passé en proverbe, et sans compromettre la reine des prés dans le royaume des bourdons, il apprit à ces gens-là la chose merveilleuse qu'on lui avait enseignée, la science d'aimer et d'être aimé.

D'abord on l'écouta en riant et en le traitant de fou ; car les sujets du roi Bourdon étaient fort railleurs, et ne croyaient plus à rien ni à personne. Cependant les récits de Gribouille les divertirent : sa simplicité, son vieux langage et son habillement, qui, à force d'être vieux, leur paraissaient nouveaux, sa manière gentille et claire de dire les choses, et une quantité de jolies chansons, fables, contes et apologues que les sylphes lui avaient appris en jouant et en riant dans l'île des Fleurs, tout plaisait en lui. Les dames et les beaux esprits de la ville se l'arrachaient, et prisaient d'autant plus sa naïveté que leur langage était devenu prétentieux et quintessencié ; il ne tint pas à eux que Gribouille ne passât pour un prodige d'esprit, pour un savant précoce qui avait étudié les vieux auteurs, pour un poète qui allait bouleverser la république des lettres. Les ignorants n'en cherchaient pas si long : ces pauvres gens l'écoutaient sans se lasser, ne comprenant pas encore où il en voulait venir avec ses contes et ses chansons, mais se sentant devenir plus heureux ou meilleurs quand il avait parlé ou chanté.

Quand Gribouille eut passé huit jours dans cette ville, il alla dans une autre. Partout, grâce à ses fleurs et à son doux parler, il fut bien reçu, et en peu de temps il devint si célèbre, que tout le monde parlait de lui, et que les gens riches faisaient de grands voyages pour le voir. On s'étonnait de son caractère confiant, et qu'il courût au-devant de tous les dangers ; aussi, sans le connaître pour le véritable Gribouille, lui donna-t-on pour sobriquet son véritable nom, chacun disant qu'il justifiait le proverbe, mais chacun remarquant aussi que le danger semblait le fuir à mesure qu'il s'y jetait.

Le roi des bourdons apprit enfin la nouvelle de l'arrivée de Gribouille, et les miracles qu'il faisait ; car Gribouille avait déjà parcouru la moitié du royaume, et s'était fait un gros parti de gens qui prétendaient que le moyen d'être heureux, ce n'est pas d'être riche, mais d'être bon. Et on voyait des riches qui donnaient tout leur argent, et même qui se ruinaient pour les autres, afin, disaient-ils, de se procurer la véritable félicité. Ceux qui n'avaient pas encore vu Gribouille se moquaient de cette nouvelle mode ; mais, aussitôt qu'ils le voyaient, ils commençaient à dire et à faire comme les autres.

Tout cela fit ouvrir l'oreille au roi Bourdon. Il se dit que ce surnommé Gribouille pourrait bien être le même qu'il avait essayé en vain de retenir à sa cour, et il reconnaissait bien que, depuis le départ de Gribouille, il avait toujours été malheureux au milieu de sa richesse et de sa puissance, parce qu'il s'était toujours senti devenir plus avide, plus méchant, plus redouté et plus haï. L'idée lui vint alors de rappeler Gribouille auprès de lui, de l'amadouer, et, au besoin, de l'enfermer dans une tour, afin de le garder comme un talisman contre le malheur.

Il lui envoya donc une ambassade pour le prier de venir résider à sa cour. Gribouille accepta et partit pour Bourdonopolis en dépit des prières de ses nouveaux amis, qui craignaient les méchants desseins du roi. Mais Gribouille voulait donner son secret à la capitale du royaume, et il disait : « Pourvu que je fasse du bien, qu'importe le mal qui pourra m'arriver ! »

Il fut très bien reçu par le roi, qui fit semblant de ne pas le reconnaître, et qui parut avoir oublié le passé. Mais Gribouille vit qu'il n'avait pas changé, et qu'il ne songeait guère à s'amender. Il ne songea lui-même qu'à se dépêcher de plaire aux habitants de la capitale et de leur donner sa science.

Quand le roi vit que cette science s'apprenait si vite, et plaisait si fort que l'on commençait à ouvrir les yeux sur son compte, à lui désobéir, et même à le menacer de prendre Gribouille pour roi à sa place, il entra en fureur ; mais il se contint encore, et, poussant la ruse jusqu'au bout, il manda Gribouille dans son cabinet, et lui dit :

« On m'assure, mon cher Gribouille, que vous avez un bouquet de fleurs souveraines pour toutes sortes de maux ; or, comme j'ai un grand mal de tête, je vous prie de me le faire sentir ; peut-être que cela me soulagera. »

En ce moment, Gribouille oublia que sa marraine lui avait dit : « Tu ne pourras rien sur le roi des bourdons ni sur ceux de sa famille ; mes fleurs elles-mêmes sont sans vertu sur ces méchants esprits. » Le pauvre enfant pensa, au contraire, que des plantes si rares auraient le don d'adoucir la méchante humeur du roi. Il tira de son sein le précieux bouquet, qui était toujours aussi frais que le jour où il l'avait cueilli et que nul pouvoir humain n'eût pu lui arracher, puisque tous ceux qui le respiraient en subissaient le charme. Il le présenta au roi, et aussitôt celui-ci enfonça son dard empoisonné dans le cœur de la plus belle rose. Un cri perçant et une grosse larme s'échappèrent du sein de la rose, et Gribouille, saisi d'horreur et de désespoir, laissa tomber le bouquet.

Le roi des bourdons s'en empara, le mit en pièces, le foula aux pieds, puis, éclatant de rire :

« Mon mignon, dit-il à Gribouille, voilà le cas que je fais de votre talisman ; à présent nous allons voir lequel est le plus fort de nous deux, et si vous resterez libre d'exciter des séditions contre moi.

– Hélas ! dit Gribouille, vous savez bien que je n'ai jamais dit un seul mot contre vous, que je ne suis pas jaloux de votre couronne, et que, si j'ai enseigné la douceur et la patience, cela ne vous met point en danger. Vous n'avez qu'à faire de même et à donner le bon exemple, on vous aimera, et on ne songera pas à être gouverné par un autre que par vous.

– Bien, bien, dit le roi, j'aime vos jolis vers et vos joyeuses chansons, et comme je n'en veux rien perdre, vous irez en un lieu où tout cela sera fort bien gardé. »

Là-dessus il appela ses gardes, et, comme Gribouille n'avait plus son bouquet, il fut pris, garrotté et jeté au fond d'un cachot, noir comme un four, où il y avait des crapauds, des salamandres, des lézards, des chauves-souris, des araignées et toutes sortes de vilaines bêtes ; mais elles ne firent aucun mal à Gribouille, qui, en peu de temps, les apprivoisa et conquit même l'amitié des araignées, en leur chantant de jolis airs auxquels elles parurent fort sensibles. Mais Gribouille n'en était pas moins malheureux : on le faisait mourir de faim et de soif ; il n'avait pas un brin de paille pour se coucher ; il était couvert de chaînes si lourdes, qu'il ne pouvait pas faire un mouvement, et, quoiqu'il ne fît entendre aucune plainte, ses geôliers l'accablaient d'injures grossières et de coups. Cependant la dispari- tion de Gribouille fut bientôt remarquée. Le roi fit croire, pendant quelque temps, qu'il l'avait envoyé en ambassade chez un de ses voisins ; mais on vint à découvrir qu'il était prisonnier. Les méchants, qui étaient encore en grand nombre, dirent que le roi avait bien fait, et qu'il ferait sagement de traiter de même tous ceux qui osaient mépriser la richesse et vanter la bonté.

Ceux qui étaient devenus bons pleurèrent Gribouille, et souffrirent pendant quelque temps les menaces et les injures ; mais, Gribouille n'étant plus là pour les retenir et pour leur prêcher le pardon, ils se révoltèrent, et l'on vit commencer une guerre terrible, qui mit bientôt tout le pays à feu et à sang. Le roi fit des prodiges de cruauté : tous les jours on pendait, on brûlait et on écorchait des révoltés par centaines. De leur côté, les révoltés, poussés à bout, ne traitaient pas beaucoup mieux les ennemis qui tombaient dans leurs mains. Du fond de sa prison, Gribouille, navré de douleur, entendait les cris et les plaintes, et ses geôliers, qui commençaient à craindre pour le gouvernement, lui disaient :

« Voilà ton ouvrage, Gribouille ; tu prétendais enseigner le secret d'être heureux, et, à présent, vois comme on l'est, vois comme on s'aime, vois comme vont les choses ! »

Peu s'en fallait que Gribouille ne perdît courage et qu'il ne doutât de la reine des prés ; mais il se défendait de son mieux contre le désespoir, et il se disait toujours : « Ma marraine viendra au secours de ce pauvre pays, et si j'ai fait du mal, elle le réparera. »

Une nuit que Gribouille ne dormait pas, car il ne dormait guère, et qu'il regardait un rayon de la lune qui perçait à travers une petite fente de la muraille, il vit quelque chose s'agiter dans ce rayon, et il reconnut sa chère marraine sous la forme de la demoiselle bleue :

« Gribouille, lui dit-elle, voici le moment d'être décidé à tout : j'ai enfin obtenu de la reine des fées la permission de vaincre le roi des bourdons et de le chasser de ce pays, mais c'est à une condition épouvantable, et que je n'ose pas te dire.

– Parlez, ma chère marraine, s'écria Gribouille ; pour vous assurer la victoire et pour sauver ce malheureux pays, il n'y a rien que je ne sois capable de souffrir.

– Et si c'était la mort ? dit la reine des prés d'une voix si triste que les chauves-souris, les lézards et les araignées du cachot de Gribouille en furent réveillés tout en sueur.

– Si c'est la mort, répondit Gribouille, que la volonté des puissances célestes soit faite ! Pourvu que vous vous souveniez de moi avec affection, ma chère marraine, et que, dans l'île des Fleurs, on chante quelquefois un petit couplet à la mémoire du pauvre Gribouille, je serai content.

– Eh bien, dit la fée, apprête-toi à mourir, Gribouille, car demain éclatera une nouvelle guerre plus terrible que celle qui existe aujourd'hui. Demain tu périras dans les tourments, sans un seul ami auprès de toi, et sans avoir même la consolation de voir le triomphe de mes armes, car tu seras une des premières victimes de la fureur du roi des bourdons. T'en sens-tu le courage ?

– Oui, ma marraine », dit Gribouille.

La fée l'embrassa et disparut.

Jusqu'au jour, qui fut bien long à venir, le pauvre Gribouille, pour combattre l'effroi de la mort, chanta, dans son cachot, d'une voix suave et touchante, les belles chansons qu'il avait apprises dans l'île des Fleurs. Les lézards, les salamandres, les araignées et les rats qui lui tenaient compagnie en furent si attendris, qu'ils vinrent tous se mettre en rond autour de Gribouille et à chanter à leur tour son chant de mort dans leur langue en répandant des pleurs et en se frappant la tête contre les murs.

« Mes amis, leur dit Gribouille, bien que je ne comprenne pas beaucoup votre langage, je vois que vous me regrettez et que vous me plaignez. J'y suis sensible, car, loin de vous mépriser pour votre laideur et la tristesse de votre condition, je vous estime autant que si vous étiez des papillons couverts de pierreries ou des oiseaux superbes. Il me suffit de voir que vous avez un bon cœur pour faire grand cas de vous. Je vous prie, quand je ne serai plus, s'il vient à ma place quelque pauvre prisonnier, soyez aussi doux et aussi affectueux pour lui que vous l'avez été pour moi.

– Cher Gribouille, répondit en bon français un gros rat à barbe blanche, nous sommes des hommes comme toi. Tu vois en nous les derniers mortels qui, après ton départ de ce pays, il y a cent ans et plus, conservèrent l'amour du bien et le respect de la justice. L'affreux roi des bourdons, ne pouvant nous faire périr, nous jeta dans ce cachot et nous condamna à ces hideuses métamorphoses ; mais nous avons entendu les paroles de la fée et nous voyons que l'heure de notre délivrance est venue. C'est à ta mort que nous la devrons ; voilà pourquoi, au lieu de nous réjouir, nous versons des larmes. »

En ce moment, le jour parut et l'on entendit un son de cloches funèbres, et puis un vacarme épouvantable : des cris, des rires, des menaces, des chants, des injures ; et puis les trompettes, les tambours, les fifres, la fusillade, la canonnade, enfin l'enfer déchaîné.

C'était la grande bataille qui commençait.

La reine des prés, à la tête d'une innombrable armée d'oiseaux qu'elle avait amenés de son île, parut dans les airs, d'abord comme un gros nuage noir, et puis, bientôt, comme une multitude de guerriers ailés et emplumés qui s'abattaient sur le royaume des frelons et des abeilles.

A la vue de ce renfort, les habitants révoltés du pays reprirent les armes ; ceux qui tenaient pour le roi en firent autant, et l'on se rangea en bataille dans une grande plaine qui entourait le palais.

Le roi des bourdons, qui n'avait pas l'habitude de regarder en l'air, et qui voyait toujours à ras de terre, ne s'inquiéta pas d'abord de la sédition. Il mit sur pied son armée, qui était composée, en grande partie, de membres de sa famille ; car il avait équipé plus de quarante millions de jeunes bourdons qui étaient les enfants de son premier mariage, et, de son côté, la princesse des abeilles, sa femme, avait tout autant de sœurs dont elle s'était fait un régiment d'amazones fort redoutables.

Mais quelqu'un de la cour ayant levé les yeux et voyant l'armée de la reine des prés dans les airs, avertit le roi qui, tout aussitôt, devint sombre et commença à bourdonner d'une manière épouvantable.

« Or donc, dit-il, le danger est fort grand. Que ces misérables mortels se battent entre eux, laissons-les faire ; nous ne sommes pas trop pour nous défendre contre l'armée des oiseaux qui nous menace. »

La princesse des abeilles, sa femme, lui dit alors :

« Sire, vous perdez la tête ; jamais nous ne pourrons nous défendre des oiseaux ; ils sont aussi agiles et mieux armés que nous. Nous en blesserons quelques-uns et ils nous dévoreront par centaines. Nous n'avons qu'un moyen de transiger, c'est de tirer de prison ce Gribouille, le filleul bien-aimé de la reine de prés. Nous le mettrons sur un bûcher tout rempli de soufre et d'amadou, et nous menacerons cette reine ennemie d'y mettre le feu si elle ne se retire aussitôt.

– Cette fois, ma femme, vous avez raison », dit le roi ; et, aussitôt fait que dit, Gribouille fut placé sur le bûcher, au beau milieu de l'armée des bourdons. Un cerf-volant fort éloquent fut envoyé en parlementaire à la reine des prés pour l'avertir de la résolution où était le roi de faire brûler vif le pauvre Gribouille si elle livrait la bataille.

A la vue de Gribouille sur son bûcher, la reine des prés sentit son cœur se fendre, et, le courage lui manquant, elle allait donner le signal de la retraite, lorsque Gribouille, voyant et comprenant ce qui se passait dans le cœur et dans l'armée de la reine, arracha la torche des mains du bourreau, la lança au milieu du bûcher, et se précipita lui-même à travers les flammes où, en moins d'un instant, il fut consumé.

Les partisans du roi se mirent à rire en disant : « Ce Gribouille-là est aussi fin que l'ancien, qui se jeta dans l'eau par crainte de la pluie, puisqu'il se jette dans le feu par crainte d'être brûlé. Vous voyez bien que cet enseigneur de félicités suprêmes est un imbécile et un maniaque. »

Mais ces gens-là ne purent pas rire bien longtemps, car la mort de Gribouille fut le signal du combat général. Les deux partis se ruèrent l'un sur l'autre ; mais quand les partisans du roi virent que les troupes royales ne venaient pas les appuyer, ils se débandèrent et perdirent la bataille.

Pendant ce temps-là, l'armée des bourdons et celle des abeilles combattaient l'armée des oiseaux. Tous avaient repris leurs formes magiques, et les hommes virent avec horreur une bataille dont ils n'avaient jamais eu l'idée. Des insectes aussi grands que des hommes luttaient avec rage contre des oiseaux dont le moindre était aussi gros qu'un éléphant. Les terribles dards des bêtes piquantes atteignaient parfois les flancs sensibles des alouettes, des fauvettes et des colombes ; mais les mésanges adroites dévoraient les abeilles par milliers, les aigles en abattaient cent d'un coup d'aile, les casoars présentaient leurs casques impénétrables à leurs traits empoisonnés, et l'*oiseau armé,* qui a un grand éperon acéré à chaque épaule, embrochait vingt ennemis à la minute. Enfin, après une heure de mêlée confuse et d'effroyables clameurs, on vit l'armée des bourdons et de leurs alliés joncher la terre. Les oiseaux blessés se perchèrent sur les arbres, où, grâce au sourire de la reine des prés, ils furent d'abord guéris. Cette reine victorieuse, qui avait repris la figure d'une femme de la plus merveilleuse beauté, avec quatre grandes ailes de gaze bleue, vint s'abattre avec sa cour sur le bûcher de Gribouille.

« Mortels, dit-elle aux habitants du royaume, déposez vos armes et dépouillez vos haines. Embrassez-vous, aimez-vous, pardonnez-vous, et soyez heureux. C'est la reine des fées qui, par ma bouche, vous le commande. »

En parlant ainsi, la reine des prés sourit, et, à l'instant même, la paix fut faite de meilleur cœur et de meilleure foi que si un congrès de souverains l'eût jurée et signée.

« Ne craignez plus ces frelons et ces abeilles qui vous ont gouvernés, dit alors la reine. Leurs méchants esprits vont comparaître devant le conseil souverain des fées, qui ordonnera de leur sort. Quant à leur dépouille, voyez ce qu'elle va devenir. »

Aussitôt l'on vit sortir de terre une armée effroyable de fourmis noires et monstrueuses, qui ramassèrent avec empressement les cadavres des insectes morts et mourants, et les emportèrent dans leurs cavernes avec des démonstrations de joie et de gourmandise qui soulevaient le cœur de dégoût et d'horreur.

Après avoir contemplé ce hideux spectacle, la foule se retourna vers le bûcher de Gribouille, qui n'offrait plus qu'une montagne de cendres ; mais, au faîte de cette montagne, on vit s'épanouir une belle fleur que l'on nomme *souvenez-vous de moi*. La reine des prés cueillit cette fleur et la mit dans son sein ; puis elle et son armée, prenant les cendres du bûcher, s'envolèrent vers les cieux, et, en partant, ils semaient les cendres de ce bûcher sur toute la contrée. Aussitôt poussaient des fleurs, des moissons, des arbres chargés de fruits, mille richesses qui réparèrent au centuple les pertes occasionnées par la guerre.

Depuis ce jour-là, les habitants du pays de Gribouille vécurent fort heureux sous la protection de la reine des prés, et un temple fut élevé à la mémoire de Gribouille. Tous les ans, à l'anniversaire de sa mort, tous les habitants de la contrée venaient avec des bouquets de fleurs de *souvenez-vous de moi* chanter les chansons que Gribouille leur avait enseignées. Ce jour-là, il était ordonné par les lois du royaume de terminer tous les différends et de pardonner toutes les fautes et toutes les injures. Cela fit du tort aux procureurs et aux avocats qui avaient pullulé dans le pays au temps du roi Bourdon. Mais ils prirent d'autres métiers, puisque aussi bien un temps arriva où il n'y eut plus de procès, et où sur toutes choses tout le monde fut d'accord. Quant à Gribouille, devenu petite fleur, son sort ne fut point regrettable. Sa marraine l'emporta dans son île, où, pour tout le reste de l'existence des fées, existence dont personne ne connaît le terme, il fut alternativement, pendant cent ans, petite fleur bleue, bien tranquille et bien heureuse au bord d'un ruisseau, dans la prairie enchantée, et, pendant cent ans, jeune et beau sylphe, dansant, chantant, riant, aimant, et faisant fête à sa marraine.

# LES AVENTURES D'UNE POUPÉE
# ET D'UN SOLDAT DE PLOMB

JULES HETZEL. Né à Chartres en 1814, mort à Monte-Carlo en 1886.

*Politiquement engagé, Jules Hetzel est secrétaire général du pouvoir exécutif sous la II<sup>e</sup> République, et collabora à des journaux républicains. Après le coup d'État de 1851, il est exilé en Belgique où il demeure jusqu'à l'amnistie de 1859. A son retour à Paris, il fonde, en 1862, une librairie pour la jeunesse et publie le* Magasin d'éducation et de récréation. *On le connaît surtout pour avoir édité les œuvres de Jules Verne dont il avait très rapidement deviné qu'il enthousiasmerait les jeunes... et les adultes. Il publia également une grande édition des œuvres de Victor Hugo.*

*C'est sous le pseudonyme de P.J. Stahl qu'il écrivit et publia* Voyage où il vous plaira *(avec Musset),* Scènes de la vie publique et privée des animaux, Maroussia, Les quatre peurs de notre général, *et des contes pour enfants, parmi lesquels ces charmantes* Aventures d'une poupée et d'un soldat de plomb, *qui comportent, comme il était alors d'usage, une édifiante moralité.*

HISTOIRE COMPLIQUÉE

« Je ne t'aime plus », dit à sa poupée la petite Bébé, qui n'était pas bonne tous les jours. Et, l'ayant jetée dans un coin, elle alla se coucher, parce qu'il était temps.

La pauvre poupée, étant tombée sur le nez, se l'était cassé.

Mais, comme elle était la douceur même, elle souffrit sans mot dire, et resta patiemment à la place où elle était tombée.

Pendant ce temps-là Bébé dormait.

Et voici ce qui se passa :

« Que je suis malheureuse ! dit la poupée, quand elle vit que tout le monde reposait et qu'elle pouvait parler sans danger, que je suis malheureuse ! Parce que je ne parle presque pas, parce que je ne mange jamais trop, parce que je ne casse rien et que je me prête à tout, et que je ne pleure jamais, c'est-à-dire parce que je ne suis ni bavarde, ni gourmande, ni maladroite, ni turbulente, parce que je n'ai point de défauts enfin, on s'imagine que je ne pense à rien, que je ne vis pas et que je ne sens rien ! On a bien tort !

– Je le crois fichtre bien qu'on a tort ! dit, après lui avoir demandé poliment la permission de lui couper la parole, un petit soldat de plomb qu'elle n'avait point aperçu, et qui se trouvait dans le même coin qu'elle, parce que, dans un moment de mauvaise humeur, Paul, le frère de Bébé, l'y avait jeté lui aussi. Mais qu'y faire ? ajouta-t-il. Les enfants croient tous que, du moment où on ne crie pas comme eux, c'est qu'on ne souffre pas. Nous souffrons, pourtant ! » dit-il encore après un moment de silence et en poussant un profond soupir.

Voyant que le petit soldat de plomb, tout soldat qu'il était, et quoiqu'il eût presque commencé par jurer, avait l'air de savoir à peu près ce qu'on dit aux dames, et lui parlait fort respectueusement, la poupée, qui n'était pas fâchée d'avoir un peu de compagnie, lui fit une réponse obligeante, de façon que la connaissance fut bientôt faite ; et la conversation continua ainsi :

« Être battue du matin au soir, quel triste sort ! disait la poupée de Bébé ; c'est bien la peine d'avoir des yeux à coulisses, des joues

157.

bien peintes et des pantalons de gaze pour être traitée ainsi. Bien sûr, j'en mourrai. Voyez plutôt mon nez, dit-elle.

– Je vous plains bien, madame la poupée, répondit le petit soldat de plomb, en regardant d'un air attendri le nez qu'on lui montrait. Mais qu'y faire ? j'essaierais en vain de vous consoler et de rajuster votre nez : je suis aussi malheureux que vous, et notre malheur est sans remède !

– Non, pas le mien, monsieur le militaire, dit alors la poupée d'un air mystérieux, ni le vôtre non plus, je l'espère. » Et, comme elle voyait à son air que le petit soldat de plomb était curieux : « Voulez-vous que je vous raconte mon histoire ? ajouta-t-elle.

– J'aime beaucoup les histoires », répondit galamment le petit soldat de plomb.

La poupée parla alors en ces termes.

Et, pendant ce temps-là, Bébé dormait toujours : mais, comme elle remuait beaucoup en dormant, on aurait presque dit qu'elle rêvait.

### HISTOIRE DE LA POUPÉE RACONTÉE PAR ELLE-MÊME

« Telle que vous me voyez, dit-elle, je n'ai pas toujours été une poupée de peau rose et de papier mâché comme aujourd'hui. J'étais, il n'y a pas bien longtemps encore, une belle petite fille bien heureuse, bien choyée par tout le monde, mais un peu gâtée ; ce qui veut dire que tout le monde était si bon pour moi, qu'on me passait tous mes caprices. Une bonne petite fille n'aurait abusé de la bonté de personne, et se serait dit : "Plus on sera bon pour moi, plus je serai bonne pour les autres" ; mais bah ! je ne me disais rien du tout ; je n'en faisais qu'à ma tête ; je battais tout le monde ; j'étais insupportable ; en un mot, je ne valais pas grand'chose. Si bien qu'un jour que j'avais été cent fois plus méchante encore qu'à l'ordinaire, une fée, qui pouvait tout, me changea en poupée : "Et poupée tu seras, ajouta-t-elle d'une voix formidable, tant qu'une petite fille aussi méchante que toi ne t'aura pas fait souffrir comme tu as fait souffrir les autres, et ne se sera pas corrigée." Or, dit la petite poupée, je crois bien que Bébé est aussi méchante que je l'étais ; mais se corrigera-t-elle ? »

Et pendant ce temps-là Bébé dormait toujours, mais son sommeil était de moment en moment plus agité.

### HISTOIRE DU SOLDAT DE PLOMB
### RACONTÉE PAR LUI-MÊME

« Madame la poupée, dit alors le soldat de plomb, votre histoire ressemble extrêmement à la mienne. J'ai été un méchant garçon très turbulent ; je ne rêvais que sabres de bois, que canons de vingt-cinq sous, que meurtre et que carnage ; je voulais la guerre à tout prix, enfin, ce qui désolait mon oncle le député. Mais le bon Dieu m'a puni, et je fus un beau matin changé en soldat de plomb, ainsi que vous pouvez le voir ; et, comme vous, je ne serai délivré que quand je trouverai pour maître un petit garçon bien méchant qui deviendra bien bon. Mais quel espoir que ce méchant Paul se corrige jamais, et par là me délivre ! Hélas ! vous voyez en moi les débris d'une grande armée. Oui, dit-il, nous étions plus de deux douzaines dans du papier de soie au fond d'une boîte de bois blanc ; mais, aujourd'hui, mes compagnons d'armes sont tous morts, et leurs membres épars jonchent le parquet ; les uns ont été foulés aux pieds, et, les autres, mollement fondus à la chandelle ! ! ! Celui qui a fait tout ce mal, c'est Paul, le frère de votre Bébé... »

En ce moment Bébé se réveilla en sursaut, et elle regarda partout ; mais elle ne vit rien et n'entendit rien ; sa poupée était toujours sur son nez, et voilà tout. De façon qu'elle vit bien que tout ce qui venait de se passer n'était qu'un rêve. Mais c'est égal, elle se leva, et, étant allée réveiller son frère Paul, elle lui raconta tout ce que vous venez de lire.

Ce que Paul ayant écouté avec beaucoup d'attention :

« Je n'ai pas peur que tu deviennes une poupée, ni de devenir moi-même un soldat de plomb, dit-il à sa sœur ; je sais bien que c'est impossible ; mais, pourtant, corrigeons-nous, car ta poupée t'a dit de bonnes choses cette nuit. »

Et après avoir relevé, lui son soldat de plomb, et Bébé sa poupée, ils s'assirent tous les deux devant leur table ; et, quoiqu'il fût de bonne heure pour travailler, ils se mirent à écrire chacun une belle page en tête de laquelle on lisait ces mots :

*Page pour faire plaisir à maman.*

Et, quand elle fut écrite, leur maman étant venue, elle fut si contente, qu'elle les embrassa de tout son cœur.

Bébé et Paul ont tenu parole : ils se sont corrigés. Bébé est devenue sage comme une image, Paul vient d'avoir quatre ou cinq prix à sa pension. – Et ceci prouve qu'il faut écouter les rêves quand ils sont bons.

# LE NAVIGATEUR SAUVAGE

VILLIERS DE L'ISLE-ADAM. Né à Saint-Brieuc le 7 novembre 1838, mort à Paris le 19 août 1889.

*Descendant d'une très illustre famille qui compta, parmi ses membres éminents, le fondateur de l'Ordre de Malte, Jean-Marie Mathias Philippe Auguste de Villiers de L'Isle-Adam était un enfant solitaire, maladif et anxieux, convaincu de sa supériorité intellectuelle. Avec sa famille, ruinée par la Révolution, il vient à Paris en 1857, rencontre Baudelaire, Vallès, Courbet, Monet, Mendès, et publie deux* Essais de poésie. *Après un bref retour en Bretagne, il regagne Paris, où il vit médiocrement, se lie d'amitié avec Mallarmé, et écrit des pièces de théâtre qui n'obtiennent aucun succès.*

*C'est dans la* Revue des lettres et des arts, *où il entre comme rédacteur en 1867, qu'il publie ses premiers contes, un genre où il peut enfin exprimer le meilleur de lui-même.*

*Les dernières années de son existence sont les plus fécondes dans le domaine de la création littéraire. Il publie les* Contes cruels, *l'*Ève future, *les* Histoires insolites, *les* Nouveaux contes cruels.

*Le navigateur sauvage peut se lire comme un simple conte, une histoire curieuse et originale, mais il ne fait pas de doute que Villiers de l'Isle-Adam, en l'écrivant, l'a chargé de sous-entendus sociaux et politiques.*

*Illustration :* L. Delteil.

*A M. Émile Bergerat.*

*L (latitude) égale H (hauteur), moins δ (première différenciation), cosinus P (pôle), moins δ²/2, sinus carré de P (pôle), tangente H (hauteur).*

(Formule des peuples civilisés, à l'aide de laquelle, étant donné une étoile et un sextant, – chacun peut préciser sur une carte le *point* exact du globe où il se trouve.)

Au sud-est de la Terre de Feu, l'on a relevé, ces temps derniers, en plein océan, la présence d'une île très éloignée de toutes autres et qui, jusqu'à nos jours, avait échappé aux lunettes, cependant exercées, des navigateurs.

En cette île, depuis des siècles, florissait une race de Nègres volontairement médiocres et qui, pour sauvegarder à tout jamais ce précieux don de la nature, avait adopté cette loi fondamentale – (qu'un de leurs plus sages monarques avait jadis édictée) – de « serrer, dès la naissance, entre des planchettes, le crâne de leurs enfants, afin de les empêcher de pouvoir jamais songer à des choses TROP élevées ».

L'opération leur était devenue aussi familière que l'est, pour nous, celle de couper le sifflet ; – et, stérilisant quelques rudimentaires notions de lecture purement phonétique et d'écriture presque indistincte, une douce animalité progressait en leur exemplaire peuplade.

Par quel mystérieux décret du Sort, Tomolo Ké Ké, le noir orphelin, l'exception confirmant la règle, avait-il été dédaigné de la loi commune jusqu'à posséder un crâne indignement naturel ?... On ne sait. Toujours est-il que, parvenu à l'âge viril et à force de s'isoler de ses « semblables » en promenades taciturnes sous les baobabs, il avait fini par se persuader, à tort ou à raison, de cette idée originale *que la terre ne devait pas finir à son île.*

Fortement travaillé par cette conception bizarre, voici qu'une circonstance fortuite – comme il en arrive toujours à ces sortes de gens – vint servir ses ambitieux projets.

Au centre d'une crique sauvage, un singulier remous ayant attiré son attention, l'inventif insulaire trouva le moyen d'en explorer les profondeurs et découvrit bientôt que ce remous provenait, tout bonnement, de deux éperdus courants sous-marins, dont l'un des foyers d'ellipse (leur point de rencontre) était cette crique même !... Une grosse branche, toute ronde, jetée dans le courant qui s'enfuyait, disparut comme l'éclair pour un inconnu voyage ! Trois jours après, Tomolo Ké Ké (qui en épiait, avec anxiété, le retour par l'autre courant) fut assez heureux pour le constater et la recueillir. Elle n'était pas sensiblement endommagée : le courant, longeant les sinuosités des écueils, l'avait gouvernée mieux qu'un pilote, et ce fut avec une grande joie que l'observateur constata, sur l'un des bouts, la présence, incrustée, de sédiments terreux dont elle était dénuée au départ... Houh ! ses pressentiments ne l'avaient pas trompé !

En moins d'un semestre, une épaisse pirogue, aux extrémités coniques, en cœur de manglier, pouvant se clore hermétiquement (grâce à un enduit graisseux qui, sitôt fermée, en imperméabilisait les rentrants), fut construite dans le silence de cette hutte solitaire par l'étonnant Ké Ké. Ses expériences réitérées lui apprirent bientôt qu'à égalité de force inverse dans les courants, sa grosse branche mettait environ trente-six heures à toucher l'autre foyer de l'ellipse ; et, par des calculs hypergéniaux (ces sauvages n'en font jamais d'autres !), il avait trouvé le poids exact de lest qu'il fallait à sa pirogue – (celle-ci étant remplie de sa personne et de deux seconds de son poids – pour se maintenir, sans monter ni enfoncer, dans la ligne sous-marine du courant. Tomolo Ké Ké donc, grâce à l'éloquence des hommes à idée fixe, persuada bientôt deux des crânes les moins triangulaires de ses compatriotes de l'accompagner en son voyage de découverte ; ceux-ci, transportés par sa faconde, acceptèrent, non sans une danse d'enthousiasme.

Étant donné l'insensibilisant breuvage, aussi connu de certaines tribus indigènes qu'il l'est, par exemple, des Yoghis de l'Inde, – breuvage grâce auquel, selon la dose, on peut demeurer en léthargie, sans manger ni respirer, durant le temps que l'on veut, – les trois aventuriers en absorberaient chacun pour trente-cinq heures. Le premier réveillé couperait, d'un coup de tomahawk, la tresse qui, nouée à l'intérieur de la pirogue, retiendrait le lest ; il enfoncerait le bouchon en feuilles de caoutchouc dans l'ouverture, et, l'on remonterait, en trois secondes, à la surface de la mer où, le couvercle étant soulevé d'une énergique poussée, l'on respirerait d'abord, et l'on découvrirait ensuite la terre nouvelle. Cela fait, et après un séjour plus ou moins prolongé chez les sympathiques peuplades de ces parages, les trois nautoniers, à l'aide de la seconde dose emportée à leurs ceintures, réintégreraient la pirogue, la réimmergeraient en plein courant de retour – et, une fois revenus en leur île natale, raconteraient les choses dans une assemblée solennelle présidée par le roi.

Comme on le voit, c'était excessivement simple.

Un beau matin, donc, les noirs aventuriers, ayant ingurgité le nécessaire, s'étendirent dans leur embarcation, et, dès les premiers symptômes léthargiques, ayant rabattu le couvercle, se laissèrent, d'une commune secousse, rouler dans le courant – qui les emporta comme une flèche.

Trente-cinq heures après, sur les sept heures et demie du soir, Tomolo Ké Ké, s'étant réveillé le premier, grâce à sa nature nerveuse, trancha l'amarre du lest, et, en quelques secondes, l'insubmersible pirogue s'épanouissait à découvert, sur les flots, au lever de constellations ignorées de ce trio d'explorateurs. Tout un rivage étrange, et, autour d'eux, d'énormes monstruosités qui se balançaient sur la mer, et mille et une merveilles inconcevables apparurent soudain aux yeux, agrandis par la stupeur, des trois naturels, et en immobilisèrent les fronts couronnés de hautes plumes versicolores. Ce qu'ils entrevoyaient, aucune parole ne pourrait le traduire. Toutefois, avec le calme qui sied aux chefs d'expéditions mémorables, Tomolo Ké Ké, leur ayant bien indiqué le point présumable, – certain, même, à son estime, – du courant de retour, et laissant la pirogue (cachée entre deux rocs au-dessus de ce courant), à la garde de ses deux seconds, – s'aventura, seul et intrépide, au milieu des enchantements du rivage.

Tomolo Ké Ké venait de découvrir la Cannebière.

Comme, rêvant déjà de la coloniser, il en prenait naturellement possession, avec une mimique sacramentelle, au nom du roi de son île, une demi-douzaine de matelots, s'échappant, avec des hurlements sauvages, d'un cabaret d'alentour, – sous les ombrages duquel ils venaient de prendre leur repas du soir en fêtant la dive bouteille, – l'aperçurent, et, le prenant pour le Diable, se ruèrent sur lui. L'infortuné navigateur, ayant voulu se défendre, fut assommé sur place par ces superstitieux matelots sous les regards perçants et terrifiés de ses deux séides.

Ceux-ci, en promenant autour d'eux des prunelles effarées, remarquèrent sur le sable, auprès d'eux, un long et vieux cordage abandonné. S'en saisir, y lier un morceau de roche – d'un tiers moins gros que celui du précédent lest – fut pour eux l'affaire d'une demi-minute.

Ayant transporté la pirogue sur le bord avancé des rocs, au-dessus du courant sauveur indiqué par le défunt, ils avalèrent, à la hâte, l'autre moitié de leur fameux topique, se coulèrent dans la pirogue, rabattirent sur eux le couvercle hermétique et, d'un vigoureux balancement intérieur, s'envoyèrent en plongeon dans la mer, entraînant la corde et son lest central.

Trente-cinq heures après, l'embarcation, heurtant, à coups redoublés, les roches de leur île, réveilla les dormeurs en sursaut : la pirogue s'étant brisée, ils prirent un bain peut-être involontaire, mais revivifiant, et remontèrent chez leurs semblables – où, les larmes aux yeux et troublés à jamais de ce qu'ils avaient entrevu là-bas – ils narrèrent l'aventure.

Cette fois, le roi décréta la peine de mort contre tout père de famille qui oublierait, à l'avenir, de « cônifier le crâne de ses enfants ».

En sorte que – quand (il y a déjà plusieurs années) le capitaine Coupdevent des Bois, ayant découvert cette île, s'aventura, suivi d'une forte escorte, au milieu de cette peuplade polie en sa médiocrité sagace, il aperçut, en la capitale de cette île, au centre même de la grande place des Huttes, une sorte de monument grossier, construit en bois et en pierres, et bariolé d'une inscription.

Lorsque l'interprète put enfin se faire comprendre, l'état-major et même les marins de l'équipage (auxquels fut contée l'histoire) tombèrent, durant quelques instants, dans un étonnement rêveur, en apprenant que l'inscription signifiait : *A la mémoire de Tomolo Ké Ké, massacré par les sauvages.*

# LA CHÈVRE DE M. SEGUIN

ALPHONSE DAUDET. Né à Nîmes le 13 mai 1840, mort à Paris le 15 décembre 1897.

*La jeunesse d'Alphonse Daudet s'écoule, heureuse, en Provence. C'est un enfant émotif et de santé délicate. Après de bonnes études au lycée de Lyon, il devient durant deux années maître d'étude pour assurer sa vie matérielle. Un calvaire, pour ce jeune homme à la sensibilité exacerbée ! En 1857, il monte à Paris où il se fait rapidement un nom avec la publication d'un recueil de vers :* Les amoureuses, *fort bien accueilli par la critique. C'est cependant avec les* Lettres de mon moulin, *publié en 1866, qu'il atteint à la célébrité. Viennent ensuite* Tartarin *de* Tarascon, Tartarin *sur les* Alpes, Port-Tarascon. *Puis le premier de ses romans :* Le *petit chose.* Amoureux *de* théâtre, *il écrit aussi un drame en trois actes :* L'Arlésienne, *mis en musique par Georges Bizet. C'est un triomphe.*

*Alphonse Daudet est le type même du conteur-né. Il se lit sans difficulté, avec plaisir, car ce qu'il exprime est puisé dans la vie même : la vivacité, le mouvement, les sentiments.*

La Chèvre de Monsieur Seguin *est extraite des* Lettres de mon moulin.

à *M. Pierre Gringoire,*
*Poète lyrique à Paris*

Tu seras bien toujours le même, mon pauvre Gringoire !
Comment ! on t'offre une place de chroniqueur dans un bon journal de Paris, et tu as l'aplomb de refuser... Mais regarde-toi, malheureux garçon ! Regarde ce pourpoint troué, ces chausses en déroute, cette face maigre qui crie la faim. Voilà pourtant où t'a conduit la passion des belles rimes ! Voilà ce que t'ont valu dix ans de loyaux services dans les pages du sire Apollo... Est-ce que tu n'as pas honte, à la fin ?

Fais-toi donc chroniqueur, imbécile ! fais-toi chroniqueur ! Tu gagneras de beaux écus à la rose, tu auras ton couvert chez Brébant, et tu pourras te montrer les jours de première avec une plume neuve à ta barrette...

Non ? Tu ne veux pas ? Tu prétends rester libre à ta guise jusqu'au bout... Eh bien, écoute un peu l'histoire de la chèvre de M. Seguin. Tu verras ce que l'on gagne à vouloir vivre libre.

*
* *

M. Seguin n'avait jamais eu de bonheur avec ses chèvres.

Il les perdait toutes de la même façon ; un beau matin, elles cassaient leur corde, s'en allaient dans la montagne, et là-haut le loup les mangeait. Ni les caresses de leur maître, ni la peur du loup, rien de les retenait. C'était, paraît-il, des chèvres indépendantes, voulant à tout prix le grand air et la liberté.

Le brave M. Seguin, qui ne comprenait rien au caractère de ses bêtes, était consterné. Il disait :

« C'est fini ; les chèvres s'ennuient chez moi ; je n'en garderai pas une. »

Cependant il ne se découragea pas, et, après avoir perdu six chèvres de la même manière, il en acheta une septième ; seulement, cette fois, il eut soin de la prendre toute jeune, pour qu'elle s'habituât mieux à demeurer chez lui.

Ah ! Gringoire, qu'elle était jolie la petite chèvre de M. Seguin !
qu'elle était jolie avec ses yeux doux, sa barbiche de sous-officier,
ses sabots noirs et luisants, ses cornes zébrées et ses longs poils
blancs qui lui faisaient une houppelande ! C'était presque aussi
charmant que le cabri d'Esméralda, tu te rappelles, Gringoire ? – et
puis, docile, caressante, se laissant traire sans bouger, sans mettre
son pied dans l'écuelle. Un amour de petite chèvre...
    M. Seguin avait derrière sa maison un clos entouré d'aubépines.
C'est là qu'il mit sa nouvelle pensionnaire. Il l'attacha à un pieu,
au plus bel endroit du pré, en ayant soin de lui laisser beaucoup
de corde, et de temps en temps il venait voir si elle était bien. La
chèvre se trouvait très heureuse et broutait l'herbe de si bon cœur
que M. Seguin était ravi.
    « Enfin, pensait le pauvre homme, en voilà une qui ne s'ennuiera
pas chez moi ! »
    M. Seguin se trompait, sa chèvre s'ennuya.

*
* *

Un jour, elle se dit en regardant la montagne :
    « Comme on doit être bien là-haut ! Quel plaisir de gambader
dans la bruyère, sans cette maudite longe qui vous écorche le cou !...
C'est bon pour l'âne ou pour le bœuf de brouter dans un clos !...
Les chèvres, il leur faut du large. »
    A partir de ce moment, l'herbe du clos lui parut fade. L'ennui lui
vint. Elle maigrit, son lait se fit rare. C'était pitié de la voir tirer tout
le jour sur sa longe, la tête tournée du côté de la montagne, la narine
ouverte, en faisant *Mé !...* tristement.
    M. Seguin s'apercevait bien que sa chèvre avait quelque chose, mais
il ne savait pas ce que c'était... Un matin, comme il achevait de la
traire, la chèvre se retourna et lui dit dans son patois :
    « Écoutez, monsieur Seguin, je me languis chez vous, laissez-moi
aller dans la montagne.
    – Ah ! mon Dieu !... Elle aussi ! » cria M. Seguin stupéfait, et du
coup il laissa tomber son écuelle ; puis, s'asseyant dans l'herbe à côté
de sa chèvre :
    « Comment, Blanquette, tu veux me quitter ! »
    Et Blanquette répondit :
    « Oui, monsieur Seguin.
    – Est-ce que l'herbe te manque ici ?
    – Oh ! non ! monsieur Seguin.
    – Tu es peut-être attachée de trop court, veux-tu que j'allonge
la corde ?
    – Ce n'est pas la peine, monsieur Seguin.
    – Alors, qu'est-ce qu'il te faut ? qu'est-ce que tu veux ?
    – Je veux aller dans la montagne, monsieur Seguin.
    – Mais, malheureuse, tu ne sais pas qu'il y a le loup dans la
montagne... Que feras-tu quand il viendra ?...
    – Je lui donnerai des coups de corne, monsieur Seguin.
    – Le loup se moque bien de tes cornes. Il m'a mangé des biques
autrement encornées que toi... Tu sais bien, la pauvre vieille Renaude

170.

qui était ici l'an dernier ? une maîtresse chèvre, forte et méchante comme un bouc. Elle s'est battue avec le loup toute la nuit... puis, le matin, le loup l'a mangée.

– Pécaïre ! Pauvre Renaude !... Ça ne fait rien, monsieur Seguin, laissez-moi aller dans la montagne.

– Bonté divine !... dit M. Seguin ; mais qu'est-ce qu'on leur fait donc à mes chèvres ? Encore une que le loup va me manger... Eh bien, non... je te sauverai malgré toi, coquine ! et de peur que tu ne rompes ta corde, je vais t'enfermer dans l'étable, et tu y resteras toujours. »

Là-dessus, M. Seguin emporta la chèvre dans une étable toute noire, dont il ferma la porte à double tour. Malheureusement, il avait oublié la fenêtre, et à peine eut-il le dos tourné, que la petite s'en alla...

Tu ris, Gringoire ? Parbleu ! je crois bien ; tu es du parti des chèvres, toi, contre ce bon M. Seguin... Nous allons voir si tu riras tout à l'heure.

Quand la chèvre blanche arriva dans la montagne, ce fut un ravissement général. Jamais les vieux sapins n'avaient rien vu d'aussi joli. On la reçut comme une petite reine. Les châtaigniers se baissaient jusqu'à terre pour la caresser du bout de leurs branches. Les genêts d'or s'ouvraient sur son passage, et sentaient bon tant qu'ils pouvaient. Toute la montagne lui fit fête.

Tu penses, Gringoire, si notre chèvre était heureuse ! Plus de corde, plus de pieu... rien qui l'empêchât de gambader, de brouter à sa guise... C'est là qu'il y en avait de l'herbe ! jusque par-dessus les cornes, mon cher !... Et quelle herbe ! Savoureuse, fine, dentelée, faite de mille plantes... C'était bien autre chose que le gazon du clos. Et les fleurs donc !... De grandes campanules bleues, des digitales de pourpre à longs calices, toute une forêt de fleurs sauvages débordant de sucs capiteux !...

La chèvre blanche, à moitié soûle, se vautrait là-dedans les jambes en l'air et roulait le long des talus, pêle-mêle avec les feuilles tombées et les châtaignes... Puis, tout à coup, elle se redressait d'un bond sur ses pattes. Hop ! la voilà partie, la tête en avant, à travers les maquis et les buissières, tantôt sur un pic, tantôt au fond d'un ravin, là-haut, en bas, partout... On aurait dit qu'il y avait dix chèvres de M. Seguin dans la montagne.

C'est qu'elle n'avait peur de rien, la Blanquette.

Elle franchissait d'un saut de grands torrents qui l'éclaboussaient au passage de poussière humide et d'écume. Alors, toute ruisselante, elle allait s'étendre sur quelque roche plate et se faisait sécher par le soleil... Une fois, s'avançant au bord d'un plateau, une fleur de cytise aux dents, elle aperçut en bas, tout en bas dans la plaine, la maison de M. Seguin avec le clos derrière. Cela la fit rire aux larmes.

« Que c'est petit ! dit-elle ; comment ai-je pu tenir là-dedans ? »

Pauvrette ! de se voir si haut perchée, elle se croyait au moins aussi grande que le monde...

En somme, ce fut une bonne journée pour la chèvre de M. Seguin. Vers le milieu du jour, en courant de droite et de gauche, elle tomba dans une troupe de chamois en train de croquer une lambrusque à belles dents. Notre petite coureuse en robe blanche fit sensation.

On lui donna la meilleure place à la lambrusque, et tous ces messieurs furent très galants... Il paraît même, – ceci doit rester entre nous, Gringoire, – qu'un jeune chamois à pelage noir eut la bonne fortune de plaire à Blanquette. Les deux amoureux s'égarèrent parmi le bois une heure ou deux, et si tu veux savoir ce qu'ils se dirent, va le demander aux sources bavardes qui courent invisibles dans la mousse.

*<br>*  *

Tout à coup le vent fraîchit. La montagne devint violette ; c'était le soir.

« Déjà ! » dit la petite chèvre ; et elle s'arrêta fort étonnée.

En bas, les champs étaient noyés de brume. Le clos de M. Seguin disparaissait dans le brouillard, et de la maisonnette on ne voyait plus que le toit avec un peu de fumée. Elle écouta les clochettes d'un troupeau qu'on ramenait, et se sentit l'âme toute triste... Un gerfaut, qui rentrait, la frôla de ses ailes en passant. Elle tressaillit... puis ce fut un hurlement dans la montagne :

« Hou ! hou ! »

Elle pensa au loup ; de tout le jour la folle n'y avait pas pensé... Au même moment une trompe sonna bien loin dans la vallée. C'était ce bon M. Seguin qui tentait un dernier effort.

« Hou ! hou !... faisait le loup.

– Reviens ! reviens !... » criait la trompe.

Blanquette eut envie de revenir ; mais en se rappelant le pieu, la corde, la haie du clos, elle pensa que maintenant elle ne pouvait plus se faire à cette vie, et qu'il valait mieux rester.

La trompe ne sonnait plus...

La chèvre entendit derrière elle un bruit de feuilles. Elle se retourna et vit dans l'ombre deux oreilles courtes, toutes droites, avec deux yeux qui reluisaient... C'était le loup.

*<br>*  *

Énorme, immobile, assis sur son train de derrière, il était là regardant la petite chèvre blanche et la dégustant par avance. Comme il savait bien qu'il la mangerait, le loup ne se pressait pas ; seulement, quand elle se retourna, il se mit à rire méchamment.

« Ha !ha ! la petite chèvre de M. Seguin » ; et il passa sa grosse langue rouge sur ses babines d'amadou.

Blanquette se sentit perdue... Un moment, en se rappelant l'histoire de la vieille Renaude, qui s'était battue toute la nuit pour être mangée le matin, elle se dit qu'il vaudrait peut-être mieux se laisser manger tout de suite ; puis, s'étant ravisée, elle tomba en garde, la tête basse et la corne en avant, comme une brave chèvre de M. Seguin qu'elle était... Non pas qu'elle eût l'espoir de tuer le loup, – les chèvres ne tuent pas le loup, – mais seulement pour voir si elle pourrait tenir aussi longtemps que la Renaude...

Alors le monstre s'avança, et les petites cornes entrèrent en danse.

172.

Ah ! la brave chevrette, comme elle y allait de bon cœur ! Plus de dix fois, je ne mens pas, Gringoire, elle força le loup à reculer pour reprendre haleine. Pendant ces trêves d'une minute, la gourmande cueillait en hâte encore un brin de sa chère herbe ; puis elle retournait au combat, la bouche pleine... Cela dura toute la nuit. De temps en temps la chèvre de M. Seguin regardait les étoiles danser dans le ciel clair, et elle se disait :

« Oh ! pourvu que je tienne jusqu'à l'aube... ! »

L'une après l'autre, les étoiles s'éteignirent. Blanquette redoubla de coups de cornes, le loup de coups de dents... Une lueur pâle parut dans l'horizon... Le chant d'un coq enroué monta d'une métairie.

« Enfin ! » dit la pauvre bête, qui n'attendait plus que le jour pour mourir ; et elle s'allongea par terre dans sa belle fourrure blanche toute tachée de sang...

Alors le loup se jeta sur la petite chèvre et la mangea.

\*

\* \*

Adieu Gringoire !

L'histoire que tu as entendue n'est pas un conte de mon invention. Si jamais tu viens en Provence, nos ménagers te parleront souvent de la *cabro de moussu Seguin, que se battégue touto la neui emé lou loup, e piei lou matin lou loup la mangé.*

Tu m'entends bien, Gringoire.

*E piei lou matin lou loup la mangé.*

# LE PARAPLUIE

GUY DE MAUPASSANT. Né le 5 août 1850 au château de Miromesnil, près de Dieppe, mort à Paris le 6 juillet 1893.

*Ses parents s'étant séparés alors qu'il était tout enfant, c'est en Normandie, à Étretat, que le jeune Henri René Albert Guy de Maupassant passe son enfance, auprès d'une mère passionnée de littérature, qui lui donne une éducation sans contrainte et laisse éclore, en l'encourageant, sa vocation littéraire. Il passe avec succès son baccalauréat au Collège de Rouen. Il a vingt ans quand éclate la guerre de 1870, et s'engage sous les drapeaux. Après l'armistice, son désir de connaître Paris lui fait accepter un emploi au ministère de la Marine, puis de l'Instruction publique. De 1873 à 1880, il fait son apprentissage d'écrivain auprès de Flaubert, ami d'enfance de sa mère, qui l'introduit dans la société lettrée de l'époque. Ainsi rencontre-t-il Zola, Daudet, Tourgueniev... En 1880, il publie son premier livre, un ouvrage de poésie :* Des vers. *Puis sa nouvelle,* Boule de suif, *connaît un vif succès. En dix ans, il écrit une trentaine de romans, recueils de nouvelles, récits de voyages, parmi lesquels* Une vie, Les contes du jour et de la nuit, Bel-Ami, Le horla.

*C'est en 1885 qu'apparaissent les malaises nerveux qui, huit ans plus tard, le conduisent à la démence et à la mort.*

*Le parapluie met en scène, avec mordant et talent, un personnage pitoyable et méprisable que l'on rencontre souvent, hier comme aujourd'hui, dans la société humaine : l'avare.*

Au Soleil

Boule de Suif

Sœurs Rondoli

Une Vie

Des Vers

M<sup>on</sup> TELLIER

oiselle FiFi

de la Bécasse

FLAUBERT BALZAC

Madame Oreille était économe. Elle savait la valeur d'un sou et possédait un arsenal de principes sévères sur la multiplication de l'argent. Sa bonne, assurément, avait grand mal à faire danser l'anse du panier ; et M. Oreille n'obtenait sa monnaie de poche qu'avec une extrême difficulté. Ils étaient à leur aise, pourtant, et sans enfants ; mais Mme Oreille éprouvait une vraie douleur à voir les pièces blanches sortir de chez elle. C'était comme une déchirure pour son cœur ; et, chaque fois qu'il lui avait fallu faire une dépense de quelque importance, bien qu'indispensable, elle dormait fort mal la nuit suivante.

Oreille répétait sans cesse à sa femme :

« Tu devrais avoir la main plus large puisque nous ne mangeons jamais nos revenus. »

Elle répondait :

« On ne sait jamais ce qui peut arriver, il vaut mieux avoir plus que moins. »

C'était une petite femme de quarante ans, vive, ridée, propre et souvent irritée.

Son mari à tout moment, se plaignait des privations qu'elle lui faisait endurer. Il en était certaines qui lui devenaient particulièrement pénibles, parce qu'elles atteignaient sa vanité.

Il était commis principal au ministère de la Guerre, demeuré là uniquement pour obéir à sa femme, pour augmenter les rentes inutilisées de la maison.

Or, pendant deux ans, il vint au bureau avec le même parapluie rapiécé qui donnait à rire à ses collègues. Las enfin de leurs quolibets, il exigea que Mme Oreille lui achetât un nouveau parapluie. Elle en prit un de huit francs cinquante, article de réclame d'un grand magasin. Des employés en apercevant cet objet jeté dans Paris par milliers recommencèrent leurs plaisanteries, et Oreille en souffrit horriblement. Le parapluie ne valait rien. En trois mois, il fut hors de service, et la gaieté devint générale dans le ministère. On fit même une chanson qu'on entendait du matin au soir, du haut en bas de l'immense bâtiment.

Oreille, exaspéré, ordonna à sa femme de lui choisir un nouveau riflard, en soie fine, de vingt francs, et d'apporter une facture justificative.

Elle en acheta un de dix-huit francs et déclara, rouge d'irritation, en le remettant à son époux :

« Tu en as là pour cinq ans au moins. »

Oreille, triomphant, obtint un vrai succès au bureau.

Lorsqu'il rentra le soir, sa femme, jetant un regard inquiet sur le parapluie, lui dit :

« Tu ne devrais pas le laisser serré avec l'élastique, c'est le moyen de couper la soie. C'est à toi d'y veiller, parce que je ne t'en achèterai pas un sitôt. »

Elle le prit, dégrafa l'anneau et secoua les plis. Mais elle demeura saisie d'émotion. Un trou rond, grand comme un centime, lui apparut au milieu du parapluie. C'était une brûlure de cigare !

Elle balbutia :

« Qu'est-ce qu'il a ? »

Son mari répondit tranquillement, sans regarder :

« Qui ? quoi ? Que veux-tu dire ? »

La colère l'étranglait maintenant ; elle ne pouvait plus parler :

« Tu... tu... tu as brûlé... ton... ton... parapluie. Mais tu... tu... tu es donc fou !... Tu veux nous ruiner ! »

Il se retourna, se sentant pâlir :

« Tu dis ?

– Je dis que tu as brûlé ton parapluie. Tiens !... »

Et, s'élançant vers lui comme pour le battre, elle lui mit violemment sous le nez la petite brûlure circulaire.

Il restait éperdu devant cette plaie, bredouillant :

« Ça, ça... qu'est-ce que c'est ? Je ne sais pas, moi ! Je n'ai rien fait, rien, je te le jure. Je ne sais pas ce qu'il a, moi, ce parapluie ! »

Elle criait maintenant :

« Je parie que tu as fait des farces avec lui dans ton bureau, que tu as fait le saltimbanque, que tu l'as ouvert pour le montrer. »

Il répondit :

« Je l'ai ouvert une seule fois pour montrer comme il était beau. Voilà tout. Je te le jure. »

Mais elle trépignait de fureur, et elle lui fit une de ces scènes conjugales qui rendent le foyer familial plus redoutable pour un homme pacifique qu'un champ de bataille où pleuvent les balles.

Elle ajusta une pièce avec un morceau de soie coupé sur l'ancien parapluie, qui était de couleur différente ; et, le lendemain, Oreille partit, d'un air humble, avec l'instrument raccommodé. Il le posa dans son armoire et n'y pensa plus que comme on pense à quelque mauvais souvenir.

Mais à peine fut-il rentré, le soir, sa femme lui saisit son parapluie dans les mains, l'ouvrit pour constater son état, demeura suffoquée devant un désastre irréparable. Il était criblé de petits trous provenant évidemment de brûlures, comme si on eût vidé dessus la cendre d'une pipe allumée. Il était perdu, perdu sans remède.

Elle contemplait cela sans dire un mot, trop indignée pour qu'un son pût sortir de sa gorge. Lui aussi, il constatait le dégât et il restait stupide, épouvanté, consterné.

Puis ils se regardèrent ; puis il baissa les yeux ; puis il reçut par la figure l'objet crevé qu'elle lui jetait ; puis elle cria, retrouvant sa voix dans un emportement de fureur :

« Ah ! canaille ! canaille ! Tu en as fait exprès ! Mais tu me le payeras ! Tu n'en auras plus... »

Et la scène recommença. Après une heure de tempête, il put enfin s'expliquer. Il jura qu'il n'y comprenait rien, que cela ne pouvait provenir que de malveillance ou de vengeance.

Un coup de sonnette le délivra. C'était un ami qui venait dîner chez eux.

Mme Oreille lui soumit le cas. Quant à acheter un nouveau parapluie, c'était fini, son mari n'en aurait plus.

L'ami argumenta avec raison :

« Alors, Madame, il perdra ses habits, qui valent, certes, davantage. »

La petite femme, toujours furieuse, répondit :

« Alors, il prendra un parapluie de cuisine, je ne lui en donnerai pas un nouveau en soie. »

A cette pensée, Oreille se révolta.

« Alors je donnerai ma démission, moi ! Mais je n'irai pas au ministère avec un parapluie de cuisine. »

L'ami reprit :

« Faites recouvrir celui-là, ça ne coûte pas très cher. »

Mme Oreille exaspérée balbutiait :

« Il faut au moins huit francs pour le faire recouvrir. Huit francs et dix-huit, cela fait vingt-six ! Vingt-six francs pour un parapluie, mais c'est de la folie ! c'est de la démence ! »

L'ami, bourgeois pauvre, eut une inspiration :

« Faites-le payer par votre Assurance. Les compagnies paient les objets brûlés, pourvu que le dégât ait eu lieu dans votre domicile. »

A ce conseil, la petite femme se calma net ; puis, après une minute de réflexion, elle dit à son mari :

« Demain, avant de te rendre à ton ministère, tu iras dans les bureaux de la *Maternelle* faire constater l'état de ton parapluie et réclamer le payement. »

M. Oreille eut un soubresaut.

« Jamais de la vie je n'oserai ! C'est dix-huit francs de perdus, voilà tout. Nous n'en mourrons pas. »

Et il sortit le lendemain avec une canne. Il faisait beau heureusement.

Restée seule à la maison, Mme Oreille ne pouvait se consoler de la perte de ses dix-huit francs. Elle avait le parapluie sur la table de la salle à manger, et elle tournait autour, sans parvenir à prendre une résolution.

La pensée de l'Assurance lui revenait à tout instant, mais elle n'osait pas non plus affronter les regards railleurs des messieurs qui la recevraient, car elle était timide devant le monde, rougissante pour un rien, embarrassée dès qu'il lui fallait parler à des inconnus.

Cependant le regret des dix-huit francs la faisait souffrir comme une blessure. Elle n'y voulait plus songer, et sans cesse le souvenir de cette perte la martelait douloureusement. Que faire cependant ?

Les heures passaient ; elle ne se décidait à rien. Puis, tout à coup, comme les poltrons qui deviennent crânes, elle prit sa résolution. « J'irai, et nous verrons bien ! »

Mais il lui fallait d'abord préparer le parapluie pour que le désastre fût complet et la cause facile à soutenir. Elle prit une allumette sur la cheminée et fit, entre les baleines, une grande brûlure, large comme la main ; puis elle roula délicatement ce qui restait de la soie, la fixa avec le cordelet élastique, mit son châle et son chapeau et descendit d'un pas pressé vers la rue de Rivoli où se trouvait l'Assurance.

Mais, à mesure qu'elle approchait, elle ralentissait le pas. Qu'allait-elle dire ? Qu'allait-on lui répondre ?

Elle regardait les numéros des maisons. Elle en avait encore vingt-huit. Très bien ! elle pouvait réfléchir. Elle allait de moins en moins vite. Soudain elle tressaillit. Voici la porte, sur laquelle brille en lettres d'or : « *La Maternelle,* Compagnie d'Assurances contre l'incendie. » Déjà ! elle s'arrêta une seconde, anxieuse, honteuse, puis passa, puis revint, puis passa de nouveau, puis revint encore.

Elle se dit enfin :

« Il faut y aller, pourtant. Mieux vaut plus tôt que plus tard. »

Mais, en pénétrant dans la maison, elle s'aperçut que son cœur battait.

Elle entra dans une vaste pièce avec des guichets tout autour ; et, par chaque guichet, on apercevait une tête d'homme dont le corps était masqué par un treillage.

Un monsieur parut, portant des papiers. Elle s'arrêta et, d'une petite voix timide :

« Pardon, Monsieur, pourriez-vous me dire où il faut s'adresser pour se faire rembourser les objets brûlés ? »

Il répondit, avec un timbre sonore :

« Premier, à gauche, au bureau des sinistres. »

Ce mot l'intimida davantage encore ; elle eut envie de se sauver, de ne rien dire, de sacrifier ses dix-huit francs. Mais à la pensée de cette somme, un peu de courage lui revint, et elle monta, essoufflée, s'arrêtant à chaque marche.

Au premier, elle aperçut une porte, elle frappa. Une voix claire cria :

« Entrez ! »

Elle entra et se vit dans une grande pièce où trois messieurs, debout, décorés, solennels, causaient.

Un d'eux lui demanda :

« Que désirez-vous, Madame ? »

Elle ne trouvait plus ses mots, elle bégaya :

« Je viens... je viens... pour... pour un sinistre. »

Le monsieur, poli, montra un siège.

« Donnez-vous la peine de vous asseoir, je suis à vous dans une minute. »

Et, retournant vers les deux autres, il reprit la conversation.

« La Compagnie, Messieurs, ne se croit pas engagée envers vous pour plus de quatre cent mille francs. Nous ne pouvons admettre vos revendications pour les cent mille francs que vous prétendez nous faire payer en plus. L'estimation d'ailleurs... »

Un des deux autres l'interrompit :
« Cela suffit, Monsieur, les tribunaux décideront. Nous n'avons plus qu'à nous retirer. »
Et ils sortirent après plusieurs saluts cérémonieux.
Oh ! si elle avait osé partir avec eux, elle l'aurait fait ; elle aurait fui, abandonnant tout ! Mais le pouvait-elle ? Le monsieur revint et, s'inclinant :
« Qu'y a-t-il pour votre service, Madame ? »
Elle articula péniblement :
« Je viens pour... pour ceci. »
Le directeur baissa les yeux, avec un étonnement naïf, veers l'objet qu'elle lui tendait.
Elle essayait, d'une main tremblante, de détacher l'élastique. Elle y parvint après quelques efforts, et ouvrit brusquement le squelette loqueteux du parapluie.
L'homme prononça, d'un ton compatissant :
« Il me paraît bien malade. »
Elle déclara avec hésitation :
« Il m'a coûté vingt francs. »
Il s'étonna :
« Vraiment ! Tant que ça ?
– Oui, il était excellent. Je voulais vous faire constater son état.
– Fort bien ; je vois. Fort bien. Mais je ne saisis pas en quoi cela peut me concerner. »
Une inquiétude la saisit. Peut-être cette compagnie-là ne payait-elle pas les menus objets, et elle dit :
« Mais... il est brûlé... »
Le monsieur ne nia pas :
« Je le vois bien. »
Elle restait bouche béante, ne sachant plus que dire ; puis, soudain, comprenant son oubli, elle prononça avec précipitation :
« Je suis Mme Oreille. Nous sommes assurés à la *Maternelle ;* et je viens vous réclamer le prix de ce dégât. »
Elle se hâta d'ajouter dans la crainte d'un refus positif :
« Je demande seulement que vous le fassiez recouvrir. »
Le directeur, embarrassé, déclara :
« Mais... Madame... nous ne sommes pas marchands de parapluies. Nous ne pouvons nous charger de ces genres de réparations. »
La petite femme sentait l'aplomb lui revenir. Il fallait lutter. Elle lutterait donc ! Elle n'avait plus peur ; elle dit :
« Je demande seulement le prix de la réparation. Je la ferai bien faire moi-même. »
Le monsieur semblait confus :
« Vraiment, Madame, c'est bien peu. On ne nous demande jamais d'indemnité pour des accidents d'une si minime importance. Nous ne pouvons rembourser, convenez-en, les mouchoirs, les gants, les balais, les savates, tous les petits objets qui sont exposés chaque jour à subir des avaries par la flamme. »
Elle devint rouge, sentant la colère l'envahir :
« Mais, Monsieur, nous avons eu au mois de décembre dernier un feu de cheminée qui nous a causé au moins pour cinq cents francs

LE PARAPLUIE

de dégâts ; M. Oreille n'a rien réclamé à la compagnie ; aussi il est bien juste aujourd'hui qu'elle me paie mon parapluie ! »

Le directeur, devinant le mensonge, dit en souriant :

« Vous avouerez, Madame, qu'il est bien étonnant que M. Oreille, n'ayant rien demandé pour un dégât de cinq cents francs, vienne réclamer une réparation de cinq ou six francs pour un parapluie. »

Elle ne se troubla point et répliqua :

« Pardon, Monsieur, le dégât de cinq cents francs concernait la bourse de M. Oreille, tandis que le dégât de dix-huit francs concerne la bourse de Mme Oreille, ce qui n'est pas la même chose. »

Il vit qu'il ne s'en débarrasserait pas et qu'il allait perdre sa journée, et il demanda avec résignation :

« Veuillez me dire alors comment l'accident est arrivé. »

Elle sentit la victoire et se mit à raconter :

« Voilà, Monsieur : j'ai dans mon vestibule une espèce de chose en bronze où l'on pose les parapluies et les cannes. L'autre jour donc, en rentrant, je plaçai dedans celui-là. Il faut vous dire qu'il y a juste au-dessus une planchette pour mettre les bougies et les allumettes. J'allonge le bras et je prends quatre allumettes. J'en frotte une ; elle rate. J'en frotte une autre ; elle s'allume et s'éteint aussitôt. J'en frotte une troisième ; elle en fait autant. »

Le directeur l'interrompit pour placer un mot d'esprit.

« C'étaient donc des allumettes du gouvernement ? »

Elle ne comprit pas, et continua :

« Ça se peut bien. Toujours est-il que la quatrième prit feu et j'allumai ma bougie ; puis j'entrai dans ma chambre pour me coucher. Mais au bout d'un quart d'heure, il me sembla qu'on sentait le brûlé. Moi j'ai toujours peur du feu. Oh ! si nous avons jamais un sinistre, ce ne sera pas ma faute ! Surtout depuis le feu de cheminée dont je vous ai parlé, je ne vis pas. Je me relève donc, je sors, je cherche, je sens partout comme un chien de chasse, et je m'aperçois enfin que mon parapluie brûle. C'est probablement une allumette qui était tombée dedans. Vous voyez dans quel état ça l'a mis... »

Le directeur en avait pris son parti ; il demanda :

« A combien estimez-vous le dégât ? »

Elle demeura sans parole, n'osant pas fixer un chiffre. Puis elle dit, voulant être large :

« Faites-le réparer vous-même. Je m'en rapporte à vous. »

Il refusa :

« Non Madame, je ne peux pas. Dites-moi combien vous demandez.

– Mais... il me semble... que... Tenez, Monsieur, je ne veux pas gagner sur vous, moi... nous allons faire une chose. Je porterai mon parapluie chez un fabricant qui le recouvrira en bonne soie, en soie durable, et je vous apporterai la facture. Ça vous va-t-il ?

– Parfaitement, Madame ; c'est entendu. Voici un mot pour la caisse, qui remboursera votre dépense. »

Et il tendit une carte à Mme Oreille, qui la saisit, puis se leva et sortit en remerciant, ayant hâte d'être dehors, de crainte qu'il ne changeât d'avis.

Elle allait maintenant d'un pas gai par la rue, cherchant un

marchand de parapluies qui lui parût élégant. Quand elle eut trouvé une boutique d'allure riche, elle entra et dit, d'une voix assurée :
« Voici un parapluie à recouvrir en soie, en très bonne soie. Mettez-y ce que vous avez de meilleur. Je ne regarde pas au prix. »

*(10 février 1884)*

# HISTOIRE DU PETIT STEPHEN GIRARD ET D'UN AUTRE PETIT GARÇON QUI AVAIT LU L'HISTOIRE DU PETIT STEPHEN GIRARD

ALPHONSE ALLAIS. Né à Honfleur en 1855, mort à Paris le 28 octobre 1905.

*Peu séduit par des études de pharmacie qu'il abandonne très rapidement, Alphonse Allais fait ses débuts au cabaret du Chat-Noir, à Paris, dont il est l'un des fondateurs. Fantaisie, humour, insouciance, mystification, la Belle Époque, dans laquelle il vit, est tout cela, et il en est l'incarnation même. Il invente sans cesse de courtes histoires drôles qu'il donne aussitôt à publier aux quotidiens du temps. Parmi ses ouvrages, tous légers et souriants, on retiendra* A se tordre, Vive la vie, Deux et deux font cinq, Amours, délices et orgues, Captain Cap, *et quelques comédies aimables qui furent jouées à Paris, au Théâtre des Nouveautés et au Théâtre Cluny, entre 1896 et 1903.*

*Dans l'*Histoire du petit Stephen Girard, *Alphonse Allais s'inspire de Mark Twain pour nous faire sourire.*

*Illustration :* Nadar.

# I

Il existe à Philadelphie un homme qui – alors qu'il n'était qu'un jeune et pauvre petit garçon – entra dans une banque et dit :

– S'il vous plaît, monsieur, vous n'auriez pas besoin d'un petit garçon ?

– Non, petit garçon, répondit le majestueux banquier, je n'ai pas besoin d'un petit garçon.

Le cœur bien gros, des larmes sur les joues, des sanglots plein la gorge, le petit garçon descendit l'escalier de marbre de la banque, tout en suçant un sucre d'orge qu'il avait acheté avec un sou volé à sa bonne et pieuse tante.

Dissimulant sa noble forme, le banquier se cacha derrière une porte, persuadé que le petit garçon allait lui jeter une pierre.

Le petit garçon, en effet, avait ramassé quelque chose par terre : c'était une épingle qu'il attacha à sa pauvre mais fripée veste.

– Venez ici ! cria le banquier au petit garçon.

Le petit garçon vint ici.

– Qu'avez-vous ramassé ? demanda le majestueux banquier.

– Une épingle, répondit le petit garçon.

Le financier continua :

– Êtes-vous sage, petit garçon ?

Le petit garçon dit qu'il était sage.

– Comment votez-vous ?... Oh ! pardon, allez-vous à l'école du dimanche ?

Le petit garçon dit qu'il y allait. Alors, le banquier trempa une plume d'or dans la plus pure des encres, écrivit sur un bout de papier : *St Peter* et demanda au petit garçon ce que cela faisait.

Le petit garçon répondit que cela faisait *Salt Peter.*

– Non, fit le banquier, cela fait *Saint Peter.*

Le petit garçon fit : « Oh ! »

Le banquier prit le petit garçon en affection, et le petit garçon fit encore : « Oh ! »

Alors, le banquier associa le petit garçon à sa maison, lui donna la moitié des bénéfices et tout le capital.

Et, plus tard, le petit garçon épousa la fille du banquier.
Tout ce que possédait le banquier, ce fut le petit garçon qui l'eut.


## II


Mon oncle m'ayant raconté l'histoire ci-dessus, je passai six semaines à ramasser des épingles par terre, devant une banque.
J'attendais toujours que le banquier m'appelât pour me dire :
– Petit garçon, êtes-vous sage ?
Je lui aurais répondu que j'étais sage.
Il aurait écrit *St John,* et je lui aurais dit que cela voulait dire *Salt John.*
Il faut croire que le banquier n'était pas pressé d'avoir un associé ou que sa fille était un garçon, car un jour il me cria :
– Petit garçon, que ramassez-vous là ?
– Des épingles, répondis-je poliment.
– Montrez-les-moi.
Il les prit, et moi, je mis mon chapeau à la main, tout prêt à devenir son associé et à épouser sa fille.
Mais ce n'est pas à cela qu'il m'invita.
– Ces épingles, rugit-il, appartiennent à la banque ; et si je vous retrouve encore rôdant par ici, je fais lâcher le chien sur vous.
Je partis, laissant ce vieux bougre en possession de mes épingles.
Dire, pourtant, que c'est comme ça dans la vie !

# TABLE DES MATIÈRES

# TABLE DES MATIÈRES

Crédits photos

Ferrante Ferranti : pp. 2, 6, 10, 14, 20, 30, 36, 52, 84, 100, 116, 168, 186.
Roger-Viollet : pp. 78, 96, 156, 162, 176.

Achevé d'imprimer
par Maury-Eurolivres – 45300 Manchecourt

*Imprimé en France*